Developing
Chinese

第二版
2nd Edition

Intermediate Listening Course

中级听力
（II）

Scripts and Answers
文本与答案

傅由　编著

北京语言大学出版社
BEIJING LANGUAGE AND CULTURE
UNIVERSITY PRESS

目 录 **Contents**

1 还是回来好

课　文

还是回来好

① 我的家在农村。在我的记忆中，我们家人都是农民，我爷爷奶奶是农民，爸爸妈妈还是农民，我们家的亲戚朋友也是农民。我们村读书最多的是小学的王老师，一共读了九年书。爸妈整天对我和哥哥说："长大了好好读书，考上大学，就变成城里人了。"

变成城里人，是我和哥哥的梦想，是爸爸妈妈、爷爷奶奶的梦想，也是我们那儿所有人的梦想。我和哥哥从上学的第一天起，就为实现这个伟大的梦想努力学习。

哥哥从小学习好是有名的，每次考试不是第一就是第二，偶尔失败，也就是第三名，一直到大学毕业，哥哥都是我们那里孩子学习的榜样。

② 大家一直以为，哥哥大学毕业以后当然会留在城市工作，要不然辛辛苦苦读那么多年书干什么？可谁都没想到，哥哥大学一毕业就回了家，自己办起了养鸡场。村民们都很吃惊：辛辛苦苦读完了大学，为什么不在城市工作，还要回到农村呢？大家议论纷纷，说什么的都有。对所有的议论，哥哥就像没听见一样，什么话也不说，一心一意办他的养鸡场。

哥哥的鸡场越办越好，第一年收回了成本，第二年开始赚钱，一些村民也成了养鸡场的工人，虽然挣钱不是很多，却不用跑到很远的地方去找工作，在家就能挣钱，还能照顾家、照顾孩子。后来，又有村民来找哥哥，想跟他学养鸡，也办养鸡场。哥哥对他们特别热情，教得特别认真。

大家的议论慢慢变了，说大学毕业生还是回来好，像哥哥这样的大学生，毕业以后没有忘记农村，比那些读了书就再也不回头的农村孩子好多了。

我问哥哥，读完大学又回到农村不后悔吗？哥哥对我说：小时候是想离开农村，考大学的时候才认真地想将来干什么。他觉得，如果上了学都不回来了，农村什么时候才能发展起来呀？农村需要知识，需要文化。有知识、有文化的年轻人，在农村应该更有发展。这时候我才明白，哥哥为什么上了农业大学。我觉得哥哥说得对。

练 习

1-2 一、请仔细听录音，找出每组句子有什么共同的地方

第一组：①那时候，我喜欢文学，整天幻想着当作家。

②他整天忙着给病人看病，没有建立自己的家庭。

③抽时间去健身，比整天玩儿游戏强多了。

（课文例句：爸妈整天对我和哥哥说："长大了好好读书，考上大学，就变成城里人了。"）

第二组：①他每天这会儿不是在教室就是在图书馆。

②不是你去就是我去，咱俩谁去都行，听你的。

③他们那个旅行团不是今天走就是明天走，反正就是这两天。

（课文例句：哥哥从小学习好是有名的，每次考试不是第一就是第二，……）

第三组：①他除了偶尔打几下乒乓球外，很少参加体育活动。

②他的电话常常打不通，偶尔打通了，也只说几句话。

③四月份偶尔出现高温天气是正常的。

（课文例句：哥哥从小学习好是有名的，每次考试不是第一就是第二，偶尔失败，也就是第三名。）

第四组：①我们得坐出租车去，要不然该迟到了。

②谢谢你提醒我，要不然我还不会去买票呢。

③你可以把它当包裹寄走，要不然就得自己送去。

（课文例句：哥哥大学毕业以后当然会留在城市工作，要不然辛辛苦苦读那么多年书干什么？）

第五组：①他病了，什么东西也不想吃。

②刚来的时候，他什么人也不认识，很孤独。

③他回到家什么话都不说。

（课文例句：对所有的议论，哥哥就像没听见一样，什么话也不说。）

1-3 二、听全文，选择课文提到了哪些内容，在括号里画√（可以多选）

1."我们"家有很多亲戚。	（　）
2.农村人的梦想是成为城里人。	（ √ ）
3.哥哥的学习情况。	（ √ ）
4.哥哥为什么又回到了农村。	（ √ ）
5.村里人到最后也不认为哥哥的选择是对的。	（　）

1-3-1 三、根据课文第一段内容，判断正误

1. "我" 出生在农村。 （ ✓ ）

2. "我" 记得家中所有的亲戚朋友。 （ ✗ ）

3. "我们" 村看书最多的是王老师。 （ ✗ ）

4. 爸爸妈妈希望 "我" 和哥哥将来能生活在城市里。 （ ✓ ）

5. "我" 和哥哥上学后学习很努力。 （ ✓ ）

6. 哥哥学习一直特别好。 （ ✓ ）

7. 村里学习好的孩子都是哥哥学习的榜样。 （ ✗ ）

1-3-2 1-4 四、根据课文第二段内容，选择正确答案

1. 村里人没有想到的是什么？（ B ）

　　A. 哥哥读书非常辛苦　　　　　　　B. 哥哥毕业后回到了农村

　　C. 哥哥什么话也不说　　　　　　　D. 哥哥居然办起了养鸡场

2. 关于哥哥的养鸡场，以下哪一项正确？（ C ）

　　A. 钱挣得不多　　　　　　　　　　B. 哥哥边干边学

　　C. 收益非常好　　　　　　　　　　D. 养鸡场离家很近

3. 从村民的议论中，我们知道什么？（ B ）

　　A. 即使不回来工作也要回家看看　　B. 他们希望大学生不要忘了农村

　　C. 在农村挣钱不多，处处不方便　　D. 哥哥大学毕业还回农村，很傻

4. 哥哥是怎么想的？（ C ）

　　A. 现在城里也不好找工作　　　　　B. 学了农业，就只能回来了

　　C. 大学生在农村也能有前途　　　　D. 实际上，干什么都差不多

五、在合适的词语之间连线，组成正确搭配

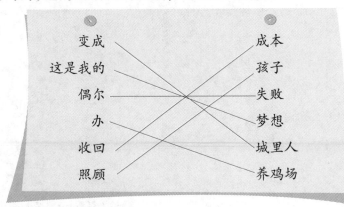

变成　　　　　　　　成本
这是我的　　　　　　孩子
偶尔　　　　　　　　失败
办　　　　　　　　　梦想
收回　　　　　　　　城里人
照顾　　　　　　　　养鸡场

1-5 六、边听录音边填空，然后回答问题

1. 我的家在农村。在我的（记忆）中，我们家人都是农民，我爷爷奶奶是农民，爸爸妈妈还是农民，

我们家（亲戚）朋友也是农民。

问：用最简单的话说一说这句话是什么意思。

2. 变成城里人，是我和哥哥的（梦想），是爸爸妈妈、爷爷奶奶的梦想，也是我们那儿（所有人）的梦想。

问：用最简单的话说一说这句话是什么意思。

3. 哥哥大学一（毕业）就回了家，自己办起了养鸡场。村民们都很（吃惊）：辛辛苦苦读完了大学，为什么不在城市工作，还要回到农村呢？

问：村民们为什么吃惊？

4. 哥哥的鸡场越办越好，第一年收回了成本，第二年开始（赚钱），一些村民也（成了）养鸡场的工人，虽然挣钱不是很多，却不用（跑到）很远的地方去找工作，在家就能挣钱，还能照顾家、照顾孩子。

问：用最简单的话说一说哥哥的养鸡场的情况。

5. 大家的（议论）慢慢变了，说大学毕业生还是回来好，像哥哥这样的大学生，毕业以后没有忘了农村，比那些读了书就再也（不回头）的农村孩子好多了。

问：如今村民们是怎么想的？

1-6 七、选词填空

| 整天 | 不是……就是…… | 偶尔 | 要不然 | 什么……也…… |

1. 最近天气特别不好，（不是）刮风就是（下雨）。

2. 我只想随便逛逛，（什么）东西（也）不想买。

3. 我们得提前买票，（要不然）就买不到卧铺了。

4. 我看他（不是）日本人（就是）韩国人，反正不是中国人。

5. 工作很忙的他（偶尔）回家看看父母，父母高兴得像孩子一样。

6. 她（整天）都在忙，可是很快乐。

7. 他最近怎么了？（整天）不高兴。

8. 他以为生了大病，结果（什么）事（也）没有。

9. 肯定是小梅告诉他的，（要不然）他怎么知道？

10. 他（整天）只吃不运动，很快就变胖了。

要求
① 请先独立填写答案
② 填好后同学之间可以讨论
③ 最后听录音

2 一切都可能改变

课 文

一切都可能改变

小丽整理以前的东西，发现几本过去的日记，她随手拿起一本翻看。

"今天，老师公布了考试成绩，我万万没有想到，我竟然考了第五名。这是我上学以来第一次没有考第一，我难过地哭了，晚饭也没有吃，我要永远记住这一天，这是我一生最大的失败和痛苦。"

看到这里，小丽忍不住笑了。她已经不记得当时的情景了。也难怪，自从离开学校以后，这十几年经历的失败与痛苦，哪一个不比当年没有考第一更重呢？

翻过这一页，再继续往下看。

"今天，我非常难过。我不知道妈妈为什么那样做！她究竟是不是我的亲妈妈？我真想离开她，离开这个家。过几天就要选择大学了，我要去外地上大学，离家远远的，我走了以后再也不回这个家！"

看到这儿，小丽有些惊讶，努力回忆当年妈妈做了什么事让自己那么伤心难过，但是怎么也想不起来。又翻了几页，都是一些现在看来根本不算什么事，可是在当时却感到"非常难过"、"非常痛苦"或是"非常难忘"的事。看了觉得很好笑，小丽放下这本日记，又拿起另一本，翻开，只见上面写着：

"给我最爱的人——你的爱，将陪伴我一生！我的爱，永远不会改变！"

看了这一句，小丽的眼前模模糊糊地出现了一个男孩儿的身影。曾经以为他就是自己的全部生命，可是离开学校以后，他们就没有再见面，她不知道那个男生现在在哪儿，在做什么。她只知道他的爱没有陪伴自己一生，而自己的爱，也早已改变。

这个世界上，没有什么不可以改变的。美好、快乐的事情会改变，痛苦、烦恼的事情也会改变，曾经以为不可改变的事情，许多年后，你会发现，其实很多都改变了。而改变最多的，竟然是自己。

（选自威廉·贝纳德同名文章）

练 习

2-2 **一、请仔细听录音，找出每组句子有什么共同的地方**

第一组：① 他整理以前的东西的时候，找到一本日记。

② 上台以前，他又整理了一下衣服。

③ 你的房间太乱了，该整理了。

（课文例句：小丽整理以前的东西，发现几本过去的日记。）

第二组：① 大家要有随手关灯的习惯，这样才不浪费电。

② 外边太冷了，请随手关门。

③ 他随手记下了这个电话号码。

（课文例句：小丽整理以前的东西，发现几本过去的日记，她随手拿起一本翻看。）

第三组：① 他万万没想到，自己的考试会不及格。

② 明天的会议非常重要，万万不能迟到。

③ 钱不是万能的，可是没有钱是万万不能的。

（课文例句：我万万没有想到，我竟然考了第五名。）

第四组：① 他的话挺好玩儿，我忍不住笑了起来。

② 听了这个消息，他忍不住流下眼泪。

③ 他忍不住大声说："这不公平！"

（课文例句：看到这里，小丽忍不住笑了。）

第五组：① 难怪我找不到他，原来他上星期就回国了。

② 小李的活儿干得特别漂亮，难怪老板要给他涨工资呢。

③ 地铁票只要两块钱，难怪坐地铁的人这么多。

（课文例句：也难怪，自从离开学校以后，这十几年经历的失败与痛苦，哪一个不比当年没有考第一更重呢？）

2-3 **二、听全文，选择课文的主要内容是什么，在括号里画√（可以多选）**

1. 小丽为什么失败。 （ ）

2. 小丽现在的生活。 （ ）

3. 小丽过去的日记。 （ √ ）

4. 小丽为什么要写日记。 （ ）

5. 读了日记以后，小丽的感想。 （ √ ）

2-3 **三、根据课文内容，判断正误**

1. 小丽小时候学习不好。 （ ✕ ）

2. 她因为考了第五名而非常难过。 （ ✓ ）

3. 她不知道妈妈是不是她的亲妈。 （ ✕ ）

4. 她觉得妈妈对她不好。 （ ✓ ）

5. 她上大学以后，就没回过家。 （ ✕ ）

6. 她喜欢的男孩儿不喜欢她。 （ ✕ ）

7. 她没跟那个男孩儿结婚。 （ ✓ ）

8. 她很想知道那个男孩儿现在怎么样了。 （ ✕ ）

9. 当年痛苦、难忘的事，现在看起来真不算什么。 （ ✓ ）

10. 痛苦会改变，而快乐不会。 （ ✕ ）

2-3
2-4 **四、根据课文内容，选择正确答案**

1. 关于小丽，下面哪句话是对的？ （ B ）

A. 是学生   B. 毕业很多年了

C. 准备考大学   D. 刚跟男朋友分手

2. 我们怎么知道小丽以前的事？ （ A ）

A. 通过以前的日记   B. 她自己说的

C. 别人回忆的   D. 妈妈告诉她的

3. 当年，小丽觉得人生"最大的痛苦和失败"是什么事？ （ A ）

A. 没考第一名   B. 跟男朋友分手

C. 妈妈批评她   D. 没考上大学

4. 关于那个男生，下面哪句话是对的？ （ B ）

A. 长得不好   B. 离开学校就没见过面

C. 并不爱小丽   D. 去了不同的大学

5. 这个故事主要想告诉我们什么？ （ D ）

A. 学习成绩不重要   B. 感情不可靠

C. 妈妈的爱不会变   D. 世界上什么都会改变

6. 作者认为，改变最多的是什么？ （ C ）

A. 痛苦   B. 快乐

C. 自己   D. 烦恼

2-5 **五、边听录音边填空，然后回答问题**

1. 这是我上学（以来）第一次没有考第一。

问：她上学以来的学习怎么样？

2. 也（难怪），（自从）离开学校以后，这十几年经历的失败与（痛苦），哪一个（不比）当年没有考第一更重呢？

    问：她大概多大年龄了？你是怎么判断的？现在，她觉得"没考第一"的痛苦重不重？为什么这么说？

3. 小丽有些（惊讶），努力（回忆）当年，妈妈做了什么事让自己那么（伤心）难过，但是（怎么）也想不起来。

    问：小丽还记得妈妈当年做了什么让自己伤心的事吗？这件事说明了什么？

4. 她只知道他的爱没有（陪伴）自己一生，而自己的爱，也早已经（改变）。

    问：小丽和那个男生谁改变了？

六、在合适的词语之间连线，组成正确搭配

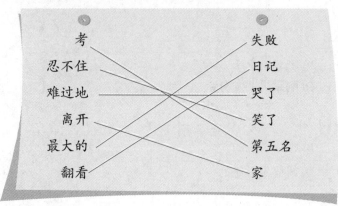

考　　　　　失败
忍不住　　　日记
难过地　　　哭了
离开　　　　笑了
最大的　　　第五名
翻看　　　　家

2-6 七、选词填空

整理　随手　万万　忍不住　难怪　怎么也　好笑

1. 看他这样，我感到很奇怪，（忍不住）问他为什么这么做。

2. 房间一个月没（整理）了，又脏又乱。

3. 他在中国待了两年，（难怪）他的汉语这么好。

4. 垃圾可不能（随手）乱扔。

5. 这件事不是他的错，你（万万）不要乱批评人。

6. 为了准备考试，他细心（整理）上课做的笔记。

7. 你已经丢了一个手机了，（万万）不能再粗心了。

8. 看着小时候的日记，我觉得真（好笑）。

9. 我（怎么也）想不起来他的名字了。

要求
① 请先独立填写答案
② 填好后同学之间可以讨论
③ 最后听录音

科学新发现

课 文

科学新发现

① 哪天最容易出车祸？

在英国，星期五是一周内发生车祸最多的一天，占车祸总数的17%以上。为什么周五车祸发生最多？交通事故研究中心的人说："因为人们都想赶紧回家，一边开车一边计划怎么安排晚上和周末的时间。"研究结果还显示，周五发生车祸的"高峰时间"是下午四点到五点。但在春天，事故却多发生在星期三。周三事故多的原因是春天容易有"周三忧郁症"，就是说到周三的时候，人们的心情都不太好。可能人们根本没想着开车，而是在回忆上个周末的晚会呢。另外一个原因是，春天的风景经常变化，特别容易让人分神。

② 最讨厌的发明

美国人最近把闹钟评为他们最讨厌的发明之一，实际上，闹钟并不只是把我们从美梦中吵醒，它还会损害健康。一项研究发现，被闹钟突然吵醒的人比睡到自然醒的人血压更高，心跳更快，闹钟的铃声也会增加压力，压力会带来高血压、睡眠问题和精神忧郁。专家建议，睡觉时保持和闹钟之间的距离至少1米远，如果你必须上闹钟，请用柔和一些的音乐，或者用手机里好听的音乐。其实，最好的办法还是早睡早起，别让闹钟把自己吵醒。

③ 性格与智商有关吗？

性格和智商有关吗？最近，一所大学对381名年龄为19到89岁的人进行了研究，并把参加实验的人分成三组：60岁之前组，60岁以上组和高智商组。结果发现，在60岁以前，性格开朗、喜欢学习新东西的人最聪明。60岁以后，性格开朗和智商关系并不大。对老年人来说，那些喜欢讨论问题的人可能因为更多的思考而具有更高的智商。

练 习

3-2 一、请仔细听录音，找出每组句子有什么共同的地方

第一组：① 在我们学校，女生占了一半多。

② 我每个月花在食品上的钱占收入的五分之一左右。

③ 中国的汉族约占全国人口的 92%。

（课文例句：星期五是一周内发生车祸最多的一天，占车祸总数的 17% 以上。）

第二组：① 那是第一次当演员，她兴奋得根本睡不着觉。

② 他的话根本就不是真的，你别相信他。

③ 这件衣服，如果在服装市场上买，根本不会这么贵。

（课文例句：可能人们根本没想着开车，而是在回忆上个周末的晚会呢。）

第三组：① 每天早晨，我都是被闹钟吵醒的。

② 我的愿望是，每天睡到自然醒，而不是被叫醒。

③ 他做了一个梦，半夜就醒了。

（课文例句：闹钟并不只是把我们从美梦中吵醒，它还会损害健康。）

第四组：① 对汉语感兴趣的不只有中小学生，还有商人、学者等。

② 自行车不只是交通工具，还可以健身呢。

③ 他不只完成了自己的任务，还帮别人完成了工作。

（课文例句：闹钟并不只是把我们从美梦中吵醒，它还会损害健康。）

第五组：① 人们常常因为害怕失败而不敢去尝试。

② 他因为压力太大而准备换一个工作。

③ 足球比赛因为下雨而推迟到明天。

（课文例句：那些喜欢讨论问题的人可能因为更多的思考而具有更高的智商。）

3-3 二、听全文，选择课文的主要内容是什么，在括号里画√（可以多选）

1. 怎么开车才安全。　　　　　　　（　　）
2. 哪天容易出车祸。　　　　　　　（√）
3. 什么发明受欢迎。　　　　　　　（　　）
4. 闹钟铃声会损害健康。　　　　　（√）
5. 性格和智商的关系。　　　　　　（√）

3-3-1 三、根据课文第一段内容，判断正误

1. 星期五，17% 的车会出车祸。　　　　　　　（×）
2. 周五出车祸的原因是人们边开车边看风景。　（×）
3. 周五下午的 16 点到 17 点车祸最多。　　　　（√）
4. 春天时，周三容易出车祸。　　　　　　　　（√）
5. 有人有"周三忧郁症"。　　　　　　　　　　（√）
6. 春天开车，有些人精神不集中。　　　　　　（√）

四、根据课文第二段内容，选择正确答案

1. 人们为什么讨厌闹钟？（ D ）

    A. 声音不好听   B. 醒了就睡不着

    C. 闹钟没有用   D. 闹钟损害健康

2. 闹钟对身体的影响，课文没提到什么？（ A ）

    A. 引起头疼   B. 心跳快

    C. 血压高   D. 增加压力

3. 想早起，最好的办法是什么？（ D ）

    A. 请人叫醒自己   B. 离闹钟远一点儿

    C. 用柔和的音乐当铃声   D. 早点儿睡觉，早点儿起床

五、边听课文第三段录音边填空

1. 最近，一个大学对（381）名年龄为（19）到89岁的人进行了研究，并把参加实验的人分成三组：60岁（之前）组，60岁（以上）组和（高）智商组。

2. 结果发现，在60岁以前，性格（开朗）、喜欢学习（新东西）的人最聪明。60岁以后，性格开朗和智商关系（并不大）。

3. 对老年人来说，那些喜欢讨论问题的人可能（因为）更多的思考（而）具有更高的智商。

六、根据课文第三段内容，判断正误

1. 参加实验的人不包括小孩儿。   （ ✓ ）

2. 研究者按年龄把参加实验的人分为两组。   （ ✗ ）

3. 60岁以前，性格和智商有关系。   （ ✓ ）

4. 越开朗的老人智商越高。   （ ✗ ）

5. 越喜欢讨论问题的老人越聪明。   （ ✓ ）

七、课文的三个题目分别和哪些内容有联系

哪天最容易出车祸（1 5）	1. 高峰时间
	2. 性格开朗
最讨厌的发明 （3 6）	3. 增加压力
	4. 高智商
性格与智商有关吗（2 4）	5. 周三忧郁症
	6. 睡眠问题

八、在词语和它们的意思之间连线，然后用这些词语填空

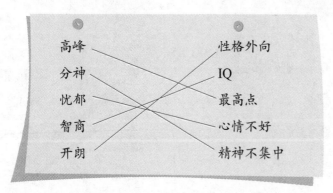

高峰   性格外向
分神   IQ
忧郁   最高点
智商   心情不好
开朗   精神不集中

1. 车祸的（高峰）时间是下午四点到五点。

2. 在上下班（高峰）的时候，到处都堵车。

3. 他以前很（忧郁），经过治疗，（开朗）多了。

4. 开车的时候不能打手机，容易（分神）。

5. （智商）越高的人，家庭关系越好。

3-6 九、选词填空

| 占   叫/吵醒   根本   不只……还……   因为……而…… |

1. 我买东西，（不只）看质量和价格，（还）看牌子。

2. 这个女孩儿（根本）不是他女朋友，他们刚认识才三天。

3. 我（不只）爱吃中国菜，（还）能自己做几个呢。

4. 公司里大部分是年轻人，三十岁以下的（占）80% 以上。

5. 他（因为）迟到（而）错过了考试。

6. 为了上学不迟到，早晨六点妈妈就把孩子（叫醒）了。

7. 他（根本）不认识汉字，只是会说汉语。

8. 游客（不只）是要玩儿得好、吃得好，（还）要买东西。

9. 他（因为）学汉语（而）来到中国。

10. 千万不要（因为）喝酒后开车（而）出车祸。

要求
① 请先独立填写答案
② 填好后同学之间可以讨论
③ 最后听录音

第一桶金

课　文

第一桶金

刘强大学毕业后来到广州工作。有一天，他迷路了。为了弄清楚自己的位置，刘强找到附近一家很有名的宾馆，拿出地图来想对照一下，没想到，这么有名的宾馆却在地图上找不到。

好不容易回到住处，已是夜里12点了。刘强躺在床上想，我要是做出一张地图，把全市所有的商业单位都标上，不就满足了人们的需要吗？

第二天，他赶紧把这一想法告诉他的几个大学同学，要是在地图上标出这些商业单位，让他们出入选地图的费用，那不是能赚大钱吗？

他把这一想法做成了一个方案，方案规定每个入选的商业单位出500元。

刘强拿出几份方案到广州几个商业单位去问他们的看法，他去的第一家就是当初迷路时在地图上找不到的那家宾馆。宾馆老板听了以后很感兴趣，不仅愿意出500元钱把自己宾馆的名字标在地图上，还愿意再多加1000元，要求在名字旁边加上宾馆的形象标志。刘强拿到第一份合同，心里非常兴奋。

事实证明，刘强的想法是独特的也是成功的。除了广州之外，他又去了另一个城市，只待了一个星期，他就签下了12万元的合同。接着，他又去了另外一些经济比较发达的城市。

经过半年的努力，刘强拿到了30多万元的提成，一次迷路让他成功地得到了人生的第一桶金。

（选自小欧《迷路迷出金点子》）

练　习

 一、请仔细听录音，找出每组句子有什么共同的地方

第一组：① 在网上买东西，一定要弄清楚网站是不是真的。

② 他的手机号被我弄丢了，联系不上了。

③ 我到现在也弄不明白他为什么换工作。

（课文例句：为了弄清楚自己的位置，刘强找到附近一家很有名的宾馆。）

第二组：① 没想到在这儿碰上你了，咱们有十年没见面了吧？

② 我向他借钱，没想到他竟然说："我一分钱都没有了。"

③ 我给他打手机，没想到接电话的却是另一个人。

（课文例句：没想到，这么有名的宾馆却在地图上找不到。）

第三组：① 好不容易排队排到我了，火车票却卖光了。

② 我好不容易找到这个工作，当然要好好干了。

③ 孩子每天上网，不爱理人，好不容易和父母聊会天儿，还常常吵架。

（课文例句：好不容易回到住处，已是夜里12点了。）

第四组：① 公司满足了他年薪二十万的要求。

② 虽然当上了白领，可我并不满足现在的生活。

③ 对现在的住宿条件，我已经很满足了。

（课文例句：我要是做出一张地图，把全市所有的商业单位都标上，不就满足了人们的需要吗？）

第五组：① 学校规定，缺课三分之一的人不能参加考试。

② 国家规定，每年的9月10号是教师节。

③ 在城市交通中，车辆、行人应该走规定的道路。

（课文例句：方案规定每个入选的商业单位出500元。）

4-3 二、听全文，选择课文的主要内容是什么，在括号里画 √

1. 怎么才能不迷路。　　　　　　　（　　）

2. 刘强挣钱的故事。　　　　　　　（　√　）

3. 地图应该什么样。　　　　　　　（　　）

4-3 三、根据课文内容，判断正误

1. 他迷路以后，没有向别人问路。　　　　　（　√　）

2. 他找到宾馆，打听自己的位置。　　　　　（　×　）

3. 这是一个小宾馆，所以地图上没有。　　　（　×　）

4. 他花了很长时间才回到住的地方。　　　　（　√　）

5. 当时的地图上没有商业单位，很不方便。　（　√　）

6. 他想做一张地图给自己用。　　　　　　　（　×　）

7. 很多商业单位愿意出钱，在地图上标出自己的名字。（　√　）

8. 除了广州以外，他还去了别的城市。　　　（　√　）

9. 他卖地图，挣了30万。　　　　　　　　　（　×　）

4-3 四、根据课文内容，为故事排序

2 他找到一个有名的宾馆。

7 他找到了宾馆老板，老板愿意出钱。

5 他设计了地图的方案。

1 刘强迷路了。

8 他签了更多的合同。

6 方案规定入选的商业单位出500元。

3 他在地图上找这个宾馆，可是没找到。

4 他想做一个标有商业单位的地图。

4-4 六、边听录音边填空，然后回答问题

1. 他去的第一家就是当初（迷路）时在地图上找不到的那家宾馆。宾馆老板听了以后很（感兴趣），（不仅）愿意出500元钱把自己宾馆的名字标在地图上，还愿意再（多）加1000元，（要求）在名字旁边加上宾馆的形象标志。

问：宾馆老板一共出了多少钱？他希望地图上有什么？

2. 事实证明，刘强的想法是（独特）的也是成功的。除了广州之外，他又去了另一个城市，只（待）了一个星期，他就签下了12万元的（合同）。接着，他又去了另外一些经济比较（发达）的城市。

问：刘强去的都是些什么样的城市？

3. 经过（半年）的努力，刘强拿到了（30多万元）的提成，一次迷路让他成功地得到了第一桶金。

问：刘强拿到的提成多不多？什么叫"第一桶金"？

4-5 七、先用所给词语填空，然后听录音，看你填得对不对

好不容易　位置　怕　满足　要是　花　标出　光　而是

"厕所地图"

王伟是一个出租车司机，他觉得开出租最苦的不是不能按时吃饭，（而是）上厕所太难了。出租车司机要满城跑，很多人对厕所的（位置）不熟悉。有时候，（好不容易）找到厕所，那里却不能停车。很多出租车司机每天工作10小时以上，却因为（怕）上厕所，连水都不敢喝。王伟想，（要是）能在地图上标出厕所的位置，不就（满足）了司机的需要了吗？他联系了15个出租车司机，大家（花）了两年半的时间，做了一张"厕所地图"。地图上（标出）了800多个公共厕所，还写明哪里可以临时停车。这种"厕所地图"一上市，很快就卖（光）了。

4-6 八、选词填空

| 弄 没想到 好不容易 满足 规定 感兴趣 |

1. 我发了好多封电子邮件,（好不容易）才跟他联系上。

2. 别把我的新手机（弄）坏了!

3. 孩子们把屋子（弄）得特别乱。

4. 我很吃惊,因为我（没想到）会在北京遇到他。

5. 工作太忙,（好不容易）到了周末,还得做家务。

6. 人们还（弄）不清楚地震的原因。

7. 他跑了好几家商场,（好不容易）才买到合适的衣服。

8.《婚姻法》（规定）,法定结婚年龄,男的不小于二十二周岁,女的不小于二十周岁。

9. 几年没见面,（没想到）他的变化这么大。

10. 以前,能吃饱饭人们就（满足）了,而现在,人们越来越不容易（满足）。

11. 国家（规定）,每年四月底到五月初为"爱鸟周"。

要求
① 请先独立填写答案
② 填好后同学之间可以讨论
③ 最后听录音

 **母亲不在家的日子**

课 文

母亲不在家的日子

① 父母要去旅游，一听这消息，弟弟高兴得不得了，在家里从来什么活儿也不干的他，为父母整整忙了两天，连路上的水果、食品都准备好了。

母亲终于走了，也带走了二十多年来最使我们烦恼的唠叨。弟弟高兴得第一天就睡了个大懒觉，醒了就躺在床上不起来，我也高兴得把音乐声放到最大。

晚饭，我问弟弟想吃什么，他说"随便"。我打开冰箱，发现母亲为我们准备的一冰箱蔬菜里，我只会做西红柿炒鸡蛋。西红柿放到锅里，我却在屋里急得团团转，没盐了，这可怎么办？正要关火让弟弟去买盐，电话铃响了，原来是母亲，她告诉我们，她已平安到达，刚下飞机不久，盐放在餐桌的抽屉里。

晚上正要上床休息，电话又一次响了，还是母亲，告诉我别忘了关好房门。我急忙跑到门口去锁门，心里却很奇怪，母亲怎么知道我马虎得连房门也会忘记关呢？

② 第二天还是西红柿炒鸡蛋，弟弟的情绪已经不是很高。第三天，弟弟买来炸鸡和香肠，再加上我的西红柿炒鸡蛋，饭菜也十分丰富，我们俩却谁也高兴不起来，连话也不想多说，屋里静静的，这时真想有个人能在身边唠叨。

电话铃两天没响了，不知道为什么我的心里空空的。

第四天一大早，我刚醒，就听到电话铃大声响起来，我和弟弟几乎同时跳起来，真的是妈妈，她说今天下午北京有雨，让我们别忘了带雨衣，还说雨中骑车要注意安全，我的眼睛一下子就湿了。

我们开始仔细算着母亲回来的日子，盼望着电话铃的响声，有时候电话竟会一天不响。已经是第九天了，这天弟弟拿着一块面包，看着餐桌上的西红柿炒鸡蛋，突然，连作文都写不好的他读出了两句诗："儿行千里母担忧，母行千里儿更愁。"

电话响了，是母亲，告诉我们明天上午到家，安静了好几天的屋里突然有了不一样的感觉，弟弟情绪很高地打开一瓶啤酒，手握酒杯，我们俩用力一碰，说："为妈妈明天回家，干杯！"

练 习

5-2 **一、请仔细听录音，找出每组句子有什么共同的地方**

第一组：① 他考上了满意的大学，全家高兴得**不得了**。

② 我这几天都没睡好，现在困得**不得了**。

③ 现在找工作难得**不得了**，你别换了。

（课文例句：父母要去旅游，一听这消息，弟弟高兴得**不得了**。）

第二组：① A：你想喝点儿什么？

B：**随便**，什么都行。

② A：咱们什么时候去看电影啊？

B：**随便**，我哪天都有时间。

③ 时间不多了，咱们**随便**吃点儿吧。

（课文例句：晚饭，我问弟弟想吃什么，他说"**随便**"。）

第三组：① 他太**马虎**了，又把钥匙丢了。

② 这件事非常重要，千万不能**马虎**。

③ 他做错了很多题，大部分是因为**马虎**。

（课文例句：母亲怎么知道我**马虎**得连房门也会忘记关呢？）

第四组：① 我见过他，可是他的名字却**想不起来**了。

② 考试虽然结束了，可是他却**轻松不起来**。

③ 看到别人都比他强，他就**高兴不起来**了。

（课文例句：饭菜十分丰富，我们俩却谁也**高兴不起来**。）

第五组：① 90% 以上的孩子认为妈妈太**唠叨**。

② 你别**唠叨**了行不行，你都说过一百遍了！

③ 他总是**唠叨**，真不想理他了。

（课文例句：屋里静静的，这时真想有个人能在身边**唠叨**。）

5-3-1 **三、根据课文第一段内容，判断正误**

1. 弟弟平时在家不干活儿。　　　　　　　　　（ √ ）

2. 弟弟告诉妈妈要准备点儿水果和食品。　　　（ × ）

3. "我们"一直很烦母亲的唠叨。　　　　　　　（ √ ）

4. 母亲走了弟弟特高兴。　　　　　　　　　　（ √ ）

5. 母亲走后的第一天弟弟睡懒觉，"我"听音乐。（ √ ）

6. 晚饭，弟弟对吃什么没意见。 （ ✓ ）

7. 母亲临走为"我们"准备了很多蔬菜。 （ ✓ ）

8. 别的"我们"都不喜欢，只喜欢西红柿炒鸡蛋。 （ × ）

9. 炒菜时"我"因为找不到盐而很着急。 （ ✓ ）

10. "我"正要让弟弟去买盐时母亲来了电话。 （ ✓ ）

11. 母亲告诉"我们"盐在哪里。 （ ✓ ）

12. 母亲很奇怪"我"晚上睡觉不锁门。 （ × ）

13. 母亲对"我"很马虎十分了解。 （ ✓ ）

5-3-2
5-4 四、根据课文第二段内容，选择正确答案

1. 第三天，"我"和弟弟为什么不高兴？ （ A ）

    A. 想念母亲　　　　　　　　B. 做饭没有盐

    C. 每天吃一样的菜　　　　　D. 两个人吵架了

2. 为什么"我们"总是吃西红柿炒鸡蛋？ （ C ）

    A. 因为冰箱里没有别的菜　　B. 这个菜是"我们"最喜欢的

    C. 因为"我"不会做别的菜　　D. 是弟弟每天都要求吃的菜

3. 第四天的电话，母亲告诉"我们"什么？ （ B ）

    A. 上班别骑车　　　　　　　B. 北京要下雨

    C. 她就要回来了　　　　　　D. 别忘了买雨衣

4. 母亲在家的时候，最让"我们"烦恼的是什么？ （ A ）

    A. 没完没了的唠叨　　　　　B. 每天吃一样的菜

    C. 不许"我们"睡懒觉　　　　D. 不许"我们"听音乐

五、母亲一共来了四次电话，请在电话的内容前加上序号

（ 4 ）告诉"我们"哪天回来。

（ 1 ）告诉"我们"盐在哪儿。

（ 3 ）提醒"我们"要带雨衣。

（ 2 ）提醒"我们"别忘了锁门。

5-5 六、边听录音边填空，然后回答问题

1. 母亲（终于）走了，也带走了二十多年来最使我们烦恼的（唠叨）。

    问："我们"最烦恼的是什么？

2. 西红柿放到锅里，我却在屋里急得（团团转），没盐了，这可怎么办？

    问："我"为什么那么着急？

3. 我急忙跑到门口去（锁）门，心里却很奇怪，母亲怎么知道我马虎得连房门也会忘记（关）呢？

    问：你填的这两个字，意思一样吗？"我"忘了什么？母亲怎么知道？

4. 电话铃两天没响了，不知道为什么我的心里（空空的）。

    问：母亲没来电话，"我"有什么感觉？

5.（连）作文（都）写不好的他读出了两句（诗）："儿行千里母担忧，母行千里儿更愁。"

    问：原来的诗是"儿行千里母担忧，母行千里儿不愁"，这里改了哪个字？这样一改，
    意思有什么变化？

6. 电话响了，是母亲，告诉我们明天上午到家，（安静）了好几天的屋里突然有了（不一样）的感觉。

    问：知道母亲明天到家，"我们"有什么感觉？

5-6 七、选词填空

……得不得了	随便	马虎	……不起来	唠叨	团团转

1. 小鸟受伤了，飞（不起来）。

2. 写作业不能（马虎），一定得认真、细心。

3. 今天气温只有零下5度，冷（得不得了）。

4. 听到这个消息，他一点儿也轻松（不起来）。

5. 这么贵的东西，得好好挑挑，不能（随便）。

6. 看到丈夫不注意身体，她就忍不住（唠叨）几句。

7. 他打了三个小时球，手都抬（不起来）了。

8. 看到那儿的东西那么便宜，他高兴（得不得了）。

9. 同学们很羡慕我，父母从来不（唠叨）。

10. 工作非常多，他每天忙得（团团转）。

要求
① 请先独立填写答案
② 填好后同学之间可以讨论
③ 最后听录音

6 时尚的产生

课　文

时尚的产生

① 在美国，一个农村青年要去参加斗牛比赛，可是他穷得只有一条破裤子。事先，他想借一条裤子。可朋友们说，他要是去参加斗牛赛，回来时，好裤子可能又成了破裤子，于是，谁都不借给他。他只好穿着露着膝盖的破裤子参加了比赛。没想到，他竟然得了第一。他上台领奖时，破裤子让他感到很不好意思。台下的十几名记者却不停地给他拍照，他简直无地自容。谁想到，他的相片登在报上以后，他的破牛仔裤，竟然成为许多青年模仿的样子。几天以后，街上到处都是穿着破裤子的青年。这一现象一直流传到今天。

把头发染成多种颜色，也是从一个没钱理发的青年人开始的。在英国的一个小城，一个青年走到一家工厂楼下的时候，被楼上倒下来的一桶化学颜料弄脏了头发，他没钱去理发，只好留着被染成红色的头发。没想到，大街上的许多青年都想模仿。有一家理发店抓住了机会，专门找人做出各种染发的颜料，满足了青年人的愿望。这一现象一直扩大到全世界，成为一种时尚。

② 涂红脚趾甲，也是农村女孩子开的头儿。一个女孩儿到城里打工，在商店，她不小心打碎了一瓶指甲油，后来发现指甲油染红了她的脚趾甲。这么贵的东西，她舍不得擦掉，于是她就这么走在路上。结果，这反而成为一种时尚。这位女孩儿成了涂脚趾甲油的第一个人。

其实，许多时尚的东西，并不是富人发明的，而是一些穷人没有办法的办法。这些时尚的出现，开始的时候，也不一定都是快乐的事，而往往是一些人不幸的命运。

（选自星竹同名文章）

练　习

 一、请仔细听录音，找出每组句子有什么共同的地方

第一组：① 周末，街上到处都是人。

② 以前，马路上到处都是自行车，现在到处都是汽车。

③ 垃圾不要到处乱扔。

（课文例句：几天以后，街上到处都是穿着破裤子的青年。）

第二组：① 你想学好汉语，必须模仿中国人的发音。

② 电脑能模仿人脑的思维过程。

③ 很多孩子喜欢模仿他们喜欢的明星。

（课文例句：没想到，大街上的许多青年都想模仿。）

第三组：① 你要抓住问题的关键，才能解决问题。

② 公司抓住了机会，赚了大钱。

③ 听一段文章，要抓住最主要的内容。

（课文例句：有一家理发店抓住了机会，专门找人做出各种染发的颜料，满足了青年人的
愿望。）

第四组：① 流行音乐是一种时尚。

② 节日发短信问候成了时尚。

③ 在网上买东西，既时尚，又省钱。

（课文例句：这种现象一直扩大到全世界，成为一种时尚。）

第五组：① 吃饭 AA 制是谁开的头儿？

② 这次会议很成功，为今后的合作开了一个好头儿。

③ 他们结婚花光了父母的钱，给年轻同事开了一个坏头儿。

（涂红脚趾甲，也是农村女孩子开的头儿。）

第六组：① 那时候，他们连一个鸡蛋都舍不得吃，把鸡蛋卖了给孩子买衣服。

② 他的手机用了四五年了，可是舍不得换新的。

③ 他可舍不得花半年的工资去旅行。

（课文例句：这么贵的东西，她舍不得擦掉，于是她就这么走在路上。）

🎧 6-3 **二、听全文，选择课文提到了哪些内容，在括号里画 √**

1. 牛仔裤 　　　（　　　）

2. 染红头发 　　（　√　）

3. 脚上涂指甲油 （　√　）

4. 比基尼（bikini）（　　　）

5. 破牛仔裤 　　（　√　）

🎧 6-3-1 **三、根据课文第一段内容，判断正误**

1. 美国青年参加斗牛比赛以前，他的裤子就是破的。 　　（　√　）

2. 没人愿意借给他裤子，因为他太穷了。 　　　　　　　（　×　）

3. 他穿破裤子，感到不好意思。 　　　　　　　　　　　（　√　）

4. 他穿破裤子的相片登报以后，很多青年模仿他。　　　　（　✓　）

5. 一个英国青年觉得红头发好看，到化工厂染红了头发。　（　×　）

6. 他想剪掉被化学物质染红的头发，可是没有钱。　　　　（　✓　）

7. 化工厂帮助人们把头发染成各种颜色。　　　　　　　　（　×　）

6-3-2 **四、根据课文第二段内容，判断正误**

1. 第一个涂红脚趾甲的人是南非的乡下女孩儿。　　　　　（　✓　）

2. 女孩儿在涂手指甲的同时，顺便涂红了脚趾甲。　　　　（　×　）

3. 女孩儿打碎了商店里的指甲油，把手指甲染成了红色。　（　×　）

4. 女孩儿太穷，只好买商店处理的指甲油。　　　　　　　（　×　）

5. 女孩儿舍不得擦掉脚趾甲上的指甲油。　　　　　　　　（　✓　）

6. 发明时尚都是快乐的事。　　　　　　　　　　　　　　（　×　）

6-3
6-4 **五、根据课文内容，选择正确答案**

1. 美国青年为什么要穿破裤子参加斗牛比赛？（　B　）

    A. 这是一种时尚　　　　　　　　　　B. 他没有好裤子

    C. 朋友建议他穿破裤子　　　　　　　D. 他不知道会得奖

2. 这个青年上台领奖时有什么感觉？（　C　）

    A. 非常自豪　　　　　　　　　　　　B. 特别兴奋

    C. 无地自容　　　　　　　　　　　　D. 生记者的气

3. 那位英国青年为什么留着红头发？（　B　）

    A. 他认为红头发很好看　　　　　　　B. 他没钱去理发店

    C. 他认为这是一种时尚　　　　　　　D. 别人都留红头发

4. 谁帮助大街上的青年人把头发染成红色？（　A　）

    A. 理发店　　　　　　　　　　　　　B. 化工厂

    C. 做染发颜料的工人　　　　　　　　D. 那位头发被弄脏的年轻人

5. 这个南非女孩儿为什么不擦掉脚上的指甲油？（　B　）

    A. 别的女孩儿也这样　　　　　　　　B. 她舍不得擦掉

    C. 她擦不掉　　　　　　　　　　　　D. 她忘了擦

6. 关于时尚的产生，下面哪句话是对的？（　D　）

    A. 时尚都是富人发明的　　　　　　　B. 时尚都是为穷人发明的

    C. 发明时尚都是痛苦的　　　　　　　D. 发明时尚不一定是快乐的事

7.这三个人有什么共同点？（　A　）

　　A.都没有钱　　　　　　　　B.都很时尚

　　C.都爱模仿别人　　　　　　D.都是农村的

6-5 六、边听录音边填空，然后回答问题

1.朋友们说，他要是去参加斗牛赛，回来时，好裤子可能又（成了）破裤子，于是，谁都不借给他。

问：朋友们为什么不愿意借给他裤子？

2.一个青年走到一家工厂（楼下）的时候，被楼上倒下来的一桶化学颜料弄脏了头发，他没钱去（理发），只好留着被染成红色的头发。

问：他的头发是怎么变红的？

3.她不小心（打碎）了一瓶指甲油，后来发现指甲油（染红）了她的脚趾甲。

问：她是怎么把脚趾甲涂红的？

4.其实，许多时尚的东西，并不是富人（发明）的，（而是）一些穷人没有办法的办法。这些时尚的出现，开始时，也（并非）什么乐事，而往往是来自某些人（不幸）的命运。

问：发明时尚的常常是什么人？发明时尚都是快乐的事吗？

6-6 七、选词填空

| 不好意思 | 到处 | 模仿 | 满足 | 抓住 | 舍不得 | 并不 | 时尚 | 开……头儿 |

要求
①请先独立填写答案
②填好后同学之间可以讨论
③最后听录音

1.就是给他们钱，他们也（舍不得）花。

2.我们一定努力（满足）大家的要求。

3.你的钱都（舍不得）花，那挣钱干什么呢？

4.他们（抓住）了顾客的心理，生意做得非常好。

5.把头发染成红色是一种（时尚）。

6.（模仿）这个句子，再说一句话。

7.父母真（舍不得）让宝贝女儿出国留学。

8.他的衣服很时尚，很多年轻人都想（模仿）他。

9.你去哪儿了？我（到处）找你都找不到！

10.他穿破牛仔裤觉得很（不好意思），没想到，后来成了（时尚）。

11.领导都骑车上班，给大家（开）了一个好（头儿）。

7 全职太太

课 文

全职太太

①（旁白）最近社会上又有人建议妇女走回家庭，做全职太太，我想对这件事大家都有发言权。

女 A：我觉得全职太太不错。记得我怀孕的时候，每天早出晚归，挤公共汽车，再上一天班，把我累得跟什么似的。有了孩子以后更是每天忙得团团转，那时候我就想，做个全职太太多好啊，可以给家人和孩子更多的照顾。

女 B：我就不同意你的说法，还是有份工作心里踏实，生活也充实，不会无聊。做全职太太当然轻闲一些，可我觉得，人是一种很奇怪的动物，闲的时候多了，就会觉得无聊，人活着最怕这种无聊的感觉了。

②女 C：我工作就是为了挣钱，能过上高质量的生活。现在我老公收入很高，已经能满足我们了，我就没必要工作了。全职太太把更多的精力放到家庭上，使家变得更舒服，难道这不是一种聪明的选择吗？现在全职太太中能人也不少，买股票的、玩儿电脑的、写书的，我看也不一定夫妻两个都在外边忙。

男：如果女的不工作，当全职太太，男人会觉得妻子做的一切家务都是理所当然的。时间长了，女性离开了社会，就不敢再走出家门了。这时候，要是男人有了什么变化，那妻子应该怎么办？所以，我觉得，有人不想上班了，家里要是有条件，当全职太太也可以。等你没条件做全职太太了，还是得去上班，所以即使你现在在家当全职太太，也最好不要忘了学习一点儿本领。

练 习

7-2 一、请仔细听录音，找出每组句子有什么共同的地方

第一组：① 每天加班，把我累得跟什么似的。

② 他实现了自己的愿望，高兴得跟什么似的。

③ 那个商店可别去，东西贵得跟什么似的。

（课文例句：每天早出晚归，挤公共汽车，再上一天班，把我累得跟什么似的。）

第二组：① 这个电影很无聊，我看了一半就睡着了。

② 上班觉得累，可不上班，又觉得无聊。

③ 每天不干活，光玩儿，也挺无聊的。

（课文例句：人是一种很奇怪的动物，闲的时候多了，就会觉得无聊。）

第三组：① 一个人挣钱就够了，有必要两个人都去上班吗？

② 这个问题太重要了，有必要再说一遍。

③ 结婚是我自己的事，没必要让每个人都同意。

（课文例句：现在我老公收入很高，已经能满足我们了，我就没必要工作了。）

第四组：① 妻子做家务是理所当然的吗？

② 孩子上学，父母付学费是理所当然的。

③ 父母老了，孩子照顾他们是理所当然的。

（课文例句：如果女的不工作，当全职太太，男人会觉得妻子做的一切家务都是理所当然的。）

第五组：① 家里有条件的话，应该买一个电脑。

② 现在，有条件的家庭都希望把孩子送出去留学吗？

③ 不少家庭，有没有条件的都买辆汽车。

（课文例句：有人不想上班了，家里要是有条件，当全职太太也可以。）

7-3 二、根据课文内容，判断正误

1. 关于全职太太，有四个人发表了自己的看法。 （ √ ）

2. 有人认为做全职太太很好。 （ √ ）

3. 有人认为做全职太太会无聊。 （ √ ）

4. 有人认为丈夫应该给妻子家务费。 （ × ）

7-3-1 三、根据课文第一段内容，判断正误

1. 第一个女的生完孩子以后，开始做全职太太。 （ × ）

2. 第一个女的怀孕以后还在工作。 （ √ ）

3. 第二个女的认为做全职太太并不轻闲。 （ × ）

4. 第二个女的认为没有工作会很无聊。 （ √ ）

7-3-1 四、根据课文第一段内容，选择正确答案（可以多选）
7-4

1. 第一个女的认为全职太太不错，下面哪条理由是她没有提到的？ （ C、D ）

    A. 不用挤公共汽车   B. 可以照顾孩子和家庭

    C. 可以学习本领   D. 可以买股票

2. "把我累得跟什么似的" 这句话是什么意思？（ B、D ）

    A. 我累不累？   B. 我非常累

    C. 我自己也说不清累不累   D. 我太累了

3. 第二个女的为什么认为做全职太太不好？（ A、C ）

    A. 有份工作，心里踏实   B. 人是奇怪的动物

    C. 没有工作会觉得无聊   D. 做全职太太并不轻闲

7-3-2 五、根据课文第二段内容，判断正误

1. 这个女的工作是为了过高质量的生活。   （ √ ）

2. 她认为女人就应该做全职太太。   （ × ）

3. 她有时在家买股票、玩儿电脑。   （ × ）

4. 男的觉得女人所做的一切都是理所当然的。   （ × ）

5. 他觉得没人能做一辈子全职太太。   （ × ）

6. 他觉得全职太太也应该学习一点儿本领。   （ √ ）

7-5 六、边听录音边填空，然后回答问题

1. 有了孩子以后更是每天忙得（团团转）。

    问：她生完孩子以后的生活怎么样？

2. 现在全职太太中（能人）也不少，买股票的、玩儿电脑的、写书的，我看也（不一定）夫妻两个都在外边忙。

    问：全职太太在家可以干什么？"玩儿电脑"指的是什么？"夫妻两个都在外边忙"是什么意思？

3. 时间长了，女性（离开）了社会，就（不敢）再走出家门了。

    问："走出家门"说的是什么？

4.（要是）男人有了什么变化，那妻子应该怎么办？

    问：男人的"变化"可能是什么？

七、根据课文内容填表

女性去工作和做全职太太，有哪些好处和坏处（有多余的选项）

A. 无聊   B. 充实   C. 轻闲   D. 踏实   E. 早出晚归   F. 累   G. 忙

H. 离开社会   I. 不敢走出家门   J. 可以写书   K. 可以玩儿   L. 可以挣钱

工作		全职太太	
好处	B D L	好处	C J K L
坏处	E F G	坏处	A H I

7-6 八、选词填空

| 跟什么似的 | 无聊 | 必要 | 条件 | 理所当然 |

1. 你的手机还能用，有（必要）换一个吗？

2. 他们俩干什么都在一起，好得（跟什么似的）。

3. 朋友都出去旅游了，我一个人觉得真（无聊）。

4. 到市场以后，我发现钱包找不到了，急得（跟什么似的）。

5. 我的朋友给了我一本课本，没（必要）买新的了。

6. 我们想给每个人一间办公室，可是目前还没有这个（条件）。

7. 这本书很（无聊），你别看了。

8. 我每天加班，发点儿奖金是（理所当然）的。

9. 最近工作特别多，每天都忙得（跟什么似的）。

要求
① 请先独立填写答案
② 填好后同学之间可以讨论
③ 最后听录音

8 最好的老师

最好的老师

　　二十年前，惠特森先生是我们自然科学课的老师。在给我们上的第一节课上，他介绍了一种会飞的猫，他一边讲，一边给我们看一块骨头。我们认认真真地做着笔记。接着，惠特森先生对我们进行了一次小测验。

　　但是，当两天后我拿到改过了的卷子时，立刻就傻了眼，没有一道题是对的，我考了一个零分。这绝对弄错了！每道题惠特森先生课上都讲过，我每个字都做了笔记，我的答案和笔记没有什么不同。同时我发现，班上所有的同学跟我一样，都得了一个"大鸭蛋"。这到底是怎么回事？

　　惠特森先生说，很简单，会飞的猫完全是他编出来的，根本就没有这种动物。

　　不用说，我们大家都很生气，这是什么考试？这是什么老师？惠特森先生说，我们应该早就发现这里边的问题了。因为那节课上，他给我们看会飞的猫的骨头时，反复强调，这种动物早就灭绝了，而且没有留下一点儿遗迹。但是他却绘声绘色地跟我们讲，这种会飞的猫眼睛是多么亮，毛是多么光滑，飞起来简直像老鹰一样快。然而，既然一点儿遗迹都没有留下，怎么会有骨头呢？他又是怎么知道会有这种动物的呢？我们没有一个人提出这个问题。惠特森先生说，实际上，他给我们看的只是一只普通的猫的骨头。盲目相信是我们得"大鸭蛋"的原因，既然错在我们，他就要把我们的这次零分的成绩登记到成绩单上去。他希望这次经历能让我们知道，老师和课本也有可能犯错误，实际上，每个人都有可能犯错误。

　　二十多年过去了，惠特森先生的课还对我有着很大的影响，那就是：不论什么情况，我们都要用自己的大脑分析问题。

（选自邓迪编译的同名文章）

练　习

 一、请仔细听录音，找出每组句子有什么共同的地方

　　第一组：① 这件事不是真的，是他编的。

　　　　　　② 他为了骗钱，编了好多理由。

　　　　　　③ 这是你编出来吓人的吧。

　　　　（课文例句：会飞的猫完全是他编出来的，根本就没有这种动物。）

第二组：① 父母反复跟孩子说学习多么重要，孩子都听烦了。

② 他最近总是反复感冒，真应该注意一下身体了。

③ 经过反复讨论，大家同意这么办。

（课文例句：他给我们看会飞的猫的骨头时，反复强调，这种动物早就灭绝了。）

第三组：① 这件事我早就知道了，你怎么还不知道呀？

② 他早就结婚了，孩子都上学了。

③ 他早就回国了，我们还给他开了一个告别晚会呢。

（课文例句：这种动物早就灭绝了，而且没有留下一点儿遗迹。）

第四组：① 12 岁就上了大学，他简直是超人！

② 今天简直太冷了，只有零下 10 度。

③ 他不是在走，简直是在跑！

（课文例句：这种会飞的猫……飞起来简直像老鹰一样快。）

第五组：① 不发展不行，盲目发展也不行。

② 我们不能盲目乐观。

③ 别人说的话，不要盲目相信。

（课文例句：盲目相信是我们得"大鸭蛋"的原因。）

🎧 8-3 **二、听全文，在括号中正确的选项后画 √**

1. 这个故事发生在（现在　　过去 √ ）。

2. 作者现在是（成人 √　　学生　　）。

3. 老师讲的是（会跑的　　会飞的 √ ）猫。

4. 学生们得了（零分 √　　满分　　）。

5. 老师给学生看的是猫（骨头 √　　毛　　）。

🎧 8-3 **三、根据课文内容，判断正误**

1. 惠特森先生上课时介绍了一种会飞的猫。　　　　　　（　√　）

2. "我"考了零分，是因为没有认真记笔记。　　　　　　（　×　）

3. "我"的答案和笔记上的内容只有一点儿不同。　　　　（　×　）

4. 班上所有的同学都得了零分。　　　　　　　　　　　（　√　）

5. "我们"都没想到自己会得零分。　　　　　　　　　　（　√　）

6. 惠特森先生在改试卷时，犯了一个错误。　　　　　　（　×　）

7. 实际上，根本没有会飞的猫。　　　　　　　　　　　（　√　）

8. "大鸭蛋"指的是考试得零分。　　　　　　　　　　　（　√　）

9. 看到改过了的卷子时，"我"认为自己很傻。　　　（ × ）

10. 会飞的猫是惠特森先生听别人说的。　　　　　（ × ）

11. "我们"都相信有会飞的猫。　　　　　　　　　（ √ ）

12. 惠特森先生把"我们"的成绩都记在了成绩单上。（ √ ）

8-3 8-4 四、根据课文内容，选择正确答案

1. "我"看到改过了的卷子时，为什么傻了眼？（ A ）

　　A. 没想到自己一道题也没对　　　　B. 发现自己记错了笔记

　　C. 发现自己有很多题不会做　　　　D. 考试内容和笔记一样

2. 为什么全班同学都得了零分？（ C ）

　　A. 惠特森先生弄错了　　　　　　　B. 同学们没有认真记笔记

　　C. 大家犯了盲目的毛病　　　　　　D. 没人能回答老师的问题

3. 为什么大家都很气愤？（ D ）

　　A. 因为得了零分　　　　　　　　　B. 因为惠特森先生判错了试卷

　　C. 因为考试太难　　　　　　　　　D. 因为惠特森先生骗了"我们"

4. 惠特森先生在给"我们"看会飞的猫骨头时，为什么反复强调这种动物早就灭绝了，而且没有留下一点儿遗迹？（ A ）

　　A. 希望同学们能提出怀疑　　　　　B. 为了让同学们认真记笔记

　　C. 为了让同学们听懂他的话　　　　D. 为了说明这种动物珍稀

5. 关于会飞的猫，下面哪一条惠特森先生没有提到？（ D ）

　　A. 眼睛很亮　　　　　　　　　　　B. 毛皮很光滑

　　C. 飞得很快　　　　　　　　　　　D. 比普通猫大

6. 惠特森先生为什么会给"我们"讲一种并不存在的动物？（ B ）

　　A. 跟"我们"开玩笑　　　　　　　　B. 教"我们"不要盲目相信

　　C. 希望"我们"都得"大鸭蛋"　　　　D. 他犯了一个错误

8-5 五、边听录音边填空，然后回答问题

1. 当两天后我拿到改过了的卷子时，立刻就（傻了眼）。

　　问：拿到卷子，"我"有什么感觉？

2. 班上所有的同学跟我一样，都得了一个（"大鸭蛋"）。

　　问：同学们得了多少分？

3. 但是他却绘声绘色地跟我们讲，这种（会飞）的猫眼睛是多么亮，毛是多么光滑，飞起来（简直）像老鹰一样（快）。

　　问：这种会飞的猫是什么样的？

4. 盲目（相信）是我们得"大鸭蛋"的原因，既然（错在）我们，他就要把我们的这次（零分）的成绩登记到成绩单上去。

　　问："我们"为什么得了零分？老师为什么把这个成绩登记到成绩单上去？

六、根据课文内容填表

关于那只猫，老师讲了什么？没讲什么？通过什么可以知道会飞的猫并不存在？

A. 生活在一万年前　　　B. 现在还有　　　C. 已经灭绝了　　　D. 没有留下遗迹

E. 毛很光滑　　　F. 眼睛很亮　　　G. 飞得很快　　　H. 身体很小

老师讲了	C D E F G
老师没讲	A B H
会飞的猫不存在	C D

8-6 七、选词填空

傻眼　　编　　早就　　反复　　简直　　盲目

1. 经过（反复）考虑，他决定放弃这个工作。

2. 这是我在报纸上看的，不是我（编）的。

3. 我累得（简直）连饭也不想吃。

4. 要是知道留学生也能参加运动会，我（早就）报名了。

5. 我们要好好研究以后再决定，千万不能（盲目）决定。

6. 考试很难，不过我（早就）准备好了。

7. 他发现自己只考了零分，立刻（傻眼）了。

8. 这都是真的，不是（编）出来的。

9. 上飞机以前，他（反复）告诉我，要注意安全。

10. 我（简直）不能相信自己的眼睛。

要求
① 请先独立填写答案
② 填好后同学之间可以讨论
③ 最后听录音

8-7 八、边听录音边填空

（30亿）年以前，地球上共有（5亿）种不同的动物和植物，现在还活着的只有大约（200万）种，灭绝率（99.6％）。（1600）年以来，灭绝了（130万）种动物，其中（75％）是人类造成的。

9 为了一个梦

课　文

为了一个梦

　　两年前，我告别父母，背上简单的行李和我最喜欢的吉他，坐上火车，来到北京，成了一名打工者。

　　刚来时，我被介绍到一家工厂工作。因为说不好普通话，怕别人笑话，去餐厅吃饭都不好意思开口，只好用手指着要买的饭菜，卖菜的师傅还以为我是个哑巴呢。最难的是找工作，我只是初中毕业，没有读过高中，学习技术相当吃力，每天下班后都觉得非常累。

　　一年以后，由于我的努力和同事们的帮助，我不仅学会了普通话，还成了一个熟练的技术工人。看到自己的进步，我有说不出的高兴。

　　后来，经朋友介绍，我又来到一个酒吧洗杯子。我拼命干活，很少说话；不但动作快，而且非常小心，就怕摔坏了杯子。

　　没过几天，我又幸运地被调到前台当了一名服务员。能在这个酒吧当上服务员是很不容易的，老板对服务员的工作要求很高，不准出错儿，每个服务员都要经过严格的训练。这里的女服务员也都是从外地来的，也许是因为这个缘故吧，她们对我特别照顾，这使我非常感动，更加珍惜这份工作。

　　我不愿意收客人的小费，总觉得那是不应该收的。有一次，有位客人给我一百元小费，我怎么也不收，弄得他很失望。客人走了之后，同事们都开玩笑地说我是"猪脑袋"。

　　两年很快过去了。我已经存了一笔钱。再坚持半年的时间，我就可以用这笔钱报考一所艺术学校，学习音乐知识，实现我的理想了。那时，我家乡的小山上又会响起好听的吉他声。

练　习

9-2 一、请仔细听录音，找出每组句子有什么共同的地方

　　第一组：①学外语，要大胆说话，不能怕别人笑话。

　　　　　　②他普通话说得不好，同学都笑话他。

　　　　　　③他穿着破牛仔裤上街，没人笑话他。

　　　　　（课文例句：因为说不好普通话，怕别人笑话，去餐厅吃饭都不好意思开口。）

　　第二组：①他刚上大学的时候，听不懂老师讲课，觉得很吃力。

　　　　　　②因为不喜欢，这个活我干起来很吃力。

③ 老板看他工作很吃力，就给他换了一个活儿。

（课文例句：我只是初中毕业，没有读过高中，学习技术相当吃力。）

第三组：① 看到自己终于成功了，他有说不出的高兴。

② 朋友们都去旅行了，他一个人有说不出的寂寞。

③ 就要出国留学了，他有说不出的兴奋。

（课文例句：看到自己的进步，我有说不出的高兴。）

第四组：① 上了高中，大家都拼命学习，谁还整天玩儿啊？

② 工作这么多，不拼命不行啊。

③ 身体是第一的，别那么拼命。

（课文例句：我拼命干活，很少说话。）

第五组：① 很多父母不准孩子在中学时就交男朋友或女朋友。

② 明天的会议很重要，谁都不准迟到。

③ 考试不准用词典，不准看笔记，更不准说话。

（课文例句：老板对服务员的工作要求很高，不准出错儿。）

9-3 二、听全文，关于作者，下面哪些话是对的，在括号里画 √

1. 现在在北京打工。　　　　（ √ ）

2. 是学生。　　　　　　　　（ 　 ）

3. 不会说话。　　　　　　　（ 　 ）

4. 开了一个酒吧。　　　　　（ 　 ）

5. 喜欢弹吉他。　　　　　　（ √ ）

9-3 9-4 三、根据课文内容，选择正确答案

1. 在工厂打工，"我"为什么那么吃力？（ B ）

　　A. 不喜欢工作　　　　　B. 上学太少

　　C. 不会普通话　　　　　D. 工厂要求高

2. 在餐厅，"我"为什么用手指着饭菜，而不开口说话？（ A ）

　　A. "我"普通话不好　　　B. 不知道菜的名字

　　C. "我"不爱说话　　　　D. "我"是个哑巴

3. 下面哪项不是"我"做的？（ D ）

　　A. 技术工人　　　　　　B. 洗杯子

　　C. 服务员　　　　　　　D. 收小费

4.同事们说"我"是"猪脑袋"，原因是什么？（ C ）

    A.不会说普通话   B.想学习音乐

    C.没有收小费   D.让客人失望

5."我"的理想是什么？（ B ）

    A.挣一笔钱   B.学习音乐

    C.开酒吧   D.回老家

9-3 四、根据课文内容，判断正误

1."我"没上过高中。   （ √ ）

2.刚来北京时，"我"不习惯北京的饭菜。   （ × ）

3.在酒吧工作，"我"摔坏了一个杯子。   （ × ）

4.在酒吧，当服务员很不容易。   （ √ ）

5.老板说，不应该收客人的小费。   （ × ）

6.没有收小费，同事们认为"我"很傻。   （ √ ）

7."我"在北京待了两年了。   （ √ ）

五、根据课文内容，完成下面的练习

    "我"在工厂和酒吧都打过工，哪些事是在工厂发生的，哪些事是在酒吧发生的？都有什么感觉？请根据课文内容连线（有多余的选项）。

A 工厂   B 酒吧

（ A ） 不会说普通话   非常小心

（ A ） 成了熟练的工人   很高兴

（ A ） 学习技术   很吃力

（ B ） 洗杯子   不好意思

（ B ） 当服务员   很珍惜

                           很失望

六、在合适的词语之间连线，组成正确搭配

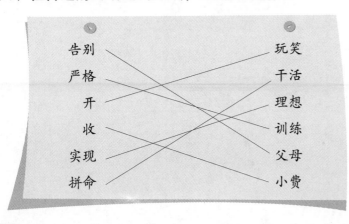

告别   玩笑

严格   干活

开   理想

收   训练

实现   父母

拼命   小费

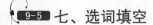

9-5 七、选词填空

| 告别 | 笑话 | 吃力 | 说不出的 | 拼命 | 不准 | 理想 |

1. 教学楼里（不准）抽烟，厕所里也不行。

2. 我的（理想）就是过不一样的生活。

3. 三年前，我（告别）家人来中国留学。

4. 运动会上，他（拼命）跑，得了第一名。

5. 您（不准）我上网，也（不准）我看电视，我还有没有自由啦？

6. 刚开始工作时，他感到很（吃力），熟悉了以后就好了。

7. 我不喜欢唱卡拉OK，唱得不好，别人会（笑话）我的。

8. 他想换工作，父母（拼命）反对。

9. 客人给他小费，可是他没收，客人真有（说不出的）失望。

10. 儿子都三十多了，还没女朋友，父母有（说不出的）着急。

> **要求**
> ① 请先独立填写答案
> ② 填好后同学之间可以讨论
> ③ 最后听录音

10 怎么称呼陌生人

课　文

怎么称呼陌生人

① 学生1：老师，我有一个问题，向别人问路，或者在饭馆向服务员点菜的时候，应该怎么称呼他们？

老师：这个问题好。你们平时是怎么称呼的？

学生2：在饭馆可以叫他们"服务员"。在路上呢，年轻女的可以叫"姑娘"，男的可以叫"小伙子"。我在路上听到过人们这么叫。

老师："姑娘"和"小伙子"可不是人人都能叫的。你今年多大？

学生2：二十三岁。

老师：一般只有岁数大的人才能叫年轻人"姑娘"和"小伙子"，比如四十岁以上的人可以叫。你们太年轻了，不行。

学生1：老师，我能叫你"阿姨"吗？这个我也听到过。

老师：这个嘛，你不是小孩子，我也还没那么老，听到你叫我阿姨，可能会有点儿不高兴。但是对上了年纪的人，比如五六十岁的，叫阿姨，人家就会很高兴。对更老的，还可以叫"奶奶"，对男的，可以叫"爷爷"。

学生2：那叫比我大的女人"大姐"行吗？

老师：叫"大姐"也不太合适，一来两个人根本不认识，二来前面加上个"大"字，听上去就老了，如果是个自己认为自己还很年轻的人，你叫人家大姐，估计她也不会高兴。

② 学生1：叫"女士"或者"先生"是不是太正式了？

老师：你说得很对。问路的时候，叫人家"女士"或者"先生"肯定不合适。

学生2：听说以前还可以称呼别人"同志"？

老师：对，这个称呼已经过时了。

学生1：叫"师傅"行吗？我常常叫出租车司机"师傅"。

老师：师傅指的是有技术的工人，现在是对体力劳动者的称呼。如果是路上遇到的陌生人，最好别叫人家"师傅"，要不然他可能会不高兴。

学生2：那到底怎么称呼呢？真是太难了！

学生1：有人叫我"美女"，这个称呼合适吗？

老师：哈哈，那是中国人跟你开玩笑呢，因为你是"老外"。如果是对一个陌生的中国姑娘，一般中国人是不会叫她"美女"的。

学生 2：对年轻的女人可以叫"小姐"吗？

老师：我觉得可以。不过，现在有很多人不喜欢这个称呼。其实，我也常常不知道该怎么称呼陌生人，特别是女的。称呼年轻的容易，称呼年老的也不难，最难的是三十多到五十岁左右的，怎么称呼好像都不太合适。我有一个最简单的办法，就是不称呼他，直接说"麻烦您"或者"对不起，请问……"，你们觉得怎么样？

学生 1：这个办法好，下次我也试试。

练　习

10-2 一、请仔细听录音，找出每组句子有什么共同的地方

第一组：① A：请问您怎么称呼？

　　　　　　B：我姓张。

　　　　② 应该怎么称呼老师的爱人？

　　　　③ "同志"这个称呼已经过时了。

　　　　（课文例句：向别人问路，或者在饭馆向服务员点菜的时候，应该怎么称呼他们？）

第二组：① 没事的时候我就看书，这一来是我的爱好，二来可以充实自己。

　　　　② 我住在校外，一来可以自己做饭，二来可以认识更多中国人。

　　　　③ 我来中国留学，一来为了学汉语，二来还能旅游。

　　　　（课文例句：叫"大姐"也不太合适，一来两个人根本不认识，二来前面加上个"大"字，听上去就老了。）

第三组：① 你的手机太过时了，快换一个吧。

　　　　② "男主外，女主内"这个观念早就过时了。

　　　　③ 买黑色的吧，黑色永远不过时。

　　　　（课文例句：这个称呼已经过时了。）

第四组：① 我喜欢各种运动，特别是游泳。

　　　　② 我觉得汉语不太难，特别是语法。

　　　　③ 他的电影都很好看，特别是《我的父亲母亲》。

　　　　（课文例句：我也常常不知道该怎么称呼陌生人，特别是女的。）

第五组：①你不用给他写信，直接打电话就行。

②他下了飞机就直接去公司了。

③他毕业以后就直接去留学了，没在国内工作。

（课文例句：我有一个最简单的办法，就是不称呼他，直接说"麻烦您"或者"对不起，请问……"。）

10-3 二、听全文，在括号中正确的选项后画 √

1. 课文讨论了应该怎么称呼（认识的人　　不认识的人 √ ）。

2. 向人问路时，（一定　　不一定 √ ）要选择一个合适的称呼。

3. 老师觉得称呼别人（不那么容易 √ 　　很容易　　）。

10-3-1 三、根据课文第一段内容，判断正误

1. 可以称呼在饭馆工作的人"服务员"。 （ √ ）

2. "姑娘"、"小伙子"必须是二十多岁的。 （ × ）

3. 岁数大的人可以称呼年轻人"姑娘"或"小伙子"。 （ √ ）

4. 年轻人不能叫别的年轻人"姑娘"或"小伙子"。 （ √ ）

5. 对话里的学生二十多岁。 （ √ ）

6. 只要比自己大的女性，都可以叫"大姐"。 （ × ）

7. 五六十岁的女性，可以叫"阿姨"。 （ √ ）

10-3-2
10-4 四、根据课文第二段内容，选择正确答案

1. 问路时，为什么不能称呼别人"女士"或者"先生"？（　B　）

　A. 过时了　　　　　　　　　B. 太正式了

　C. 因为不认识人家　　　　　D. 这是开玩笑的称呼

2. "美女"是一个什么称呼？（　A　）

　A. 开玩笑的称呼　　　　　　B. 对漂亮的人都可以用

　C. 对老外的称呼　　　　　　D. 对年轻人都可以用

3. 最难称呼的是哪些人？（　C　）

　A. 年轻的女性　　　　　　　B. 年老的女性

　C. 30 – 50岁的女性　　　　　D. 30 – 50岁的男性

10-5 五、边听录音边填空，然后回答问题

1. 学生1：老师，我能（叫）你"阿姨"吗？这个我也听到过。

　老师：这个嘛，你不是小孩子，我也还没（那么）老，听到你叫我阿姨，可能会（有点儿）不高兴。

问：猜猜老师大概多大岁数。为什么不能叫她"阿姨"？多大的人可以叫她"阿姨"？

2. 叫"大姐"也不太（合适），一来两个人（根本）不认识，二来前面加上个"大"字，（听上去）就老了，如果是个自己（认为）自己还很年轻的人，你叫人家大姐，（估计）她也不会高兴。

问：为什么不能随便叫陌生人"大姐"？

3. 师傅指的是有（技术）的工人，现在是对体力劳动者的称呼，如果是路上遇到的（陌生人），最好别叫人家"师傅"，（要不然）他可能会不高兴。

问：做什么工作的人是体力劳动者？"脑力劳动者"指哪些人？为什么不能随便称呼别人"师傅"？除了出租车司机，你觉得还有哪些人可以称呼"师傅"？

4. 我也常常不知道该怎么称呼一个陌生人，（特别是）女的。称呼年轻的容易，称呼年老的也（不难），最难的是三十多到五十岁左右的，（怎么）称呼好像都不太合适。

问：最难称呼的人是什么人？对年轻的人和年老的人可以分别怎么称呼？

5. 我有一个最（简单）的办法，就是不称呼他，（直接）说"麻烦您"或者"对不起，请问……"。

问：如果不知道怎么称呼，可以用什么办法？

10-6 六、选词填空

称呼	一来……二来……	过时	特别是	直接

要求
① 请先独立填写答案
② 填好后同学之间可以讨论
③ 最后听录音

1. 火车票很难买，（特别是）春节前的火车票。

2. 我常常不知道怎么（称呼）比我大一些的人。

3. "老外"是对外国人开玩笑的（称呼）。

4. 我的手机已经（过时）了，连照相的功能都没有。

5. 你想考 HSK，（直接）在网上报名，不用去办公室。

6. 两三岁的小孩，只会用名字（称呼）自己，不会用"我"来（称呼）自己。

7. 我不愿意去市场买衣服，（一来）我不会讨价还价，（二来）价格也不算便宜。

8. 我想留在中国工作，（一来）可以练习汉语，（二来）收入比较高。

9. 不能随便问别人年龄，（特别是）中年女性。

10. 你不用提前买飞机票，（直接）去机场就可以。

11. 我看不惯老换工作，可能我的想法太（过时）了。

11 陪读的父母

课　文

陪读的父母

① 18 岁的小华被上海一所有名的大学录取了，妈妈给他买了 13000 元的电脑，3000 多元的手机，1000 多元的电子词典，780 元一双的耐克鞋，1500 元的箱子。

② 妈妈还订好了机票，打定主意送儿子到上海后，留下来陪读，她已经托朋友在大学附近租了一套房子。为什么要陪读呢？小华的妈妈说：小华上的中学是重点中学，初一的时候成绩在全年级排第二名，初二时，儿子的老师告诉她，她儿子从来不交作业，学习成绩一落千丈。经过对儿子的跟踪，她才知道，儿子天天放学后竟然去"黑网吧"玩儿游戏。

从此以后，她一直看着儿子，直到儿子考上大学。她说："我去上海陪读，主要是担心儿子管不住自己会变坏，而且他从来没离开过家，自理能力很差，不会洗衣服。"

③ 有人管这样的父母叫"陪读父母"。"陪读父母"人数可不少，有从一个城市到另一个城市陪读的，有从农村到城市陪读的，还有从大城市到小县城陪读的；有父母中一个人陪读的，也有父母双双陪读的，甚至还有父母分别为两个孩子陪读的；有为大学生陪读的，也有为中小学生陪读的…… 这些家长要么担心这些孩子会变坏，要么担心他们生活不能自理，才放弃工作，离开家乡去陪读。

最近几年，一些富裕起来的农民在城里租房陪读的也越来越多，有不少农民把孩子转学到城里的中小学读书。住在郊区的老张为了让儿子进城上个好中学，在城里租了房，又向学校交了几万元赞助费，让爱人进城给儿子陪读。小学毕业后就干农活的老张说，自己没文化，只能干农活，但决不能让儿子这样了，拼命挣钱的目的就是培养儿子上最好的大学，将来有个好工作。

练　习

11-2 一、请仔细听录音，找出每组句子有什么共同的地方

第一组：① 我们的公司应该怎么发展？请大家一起出出主意。

② 毕业以后继续读书还是工作，我真拿不定主意。

③ 她打定主意要一个人旅行，不管父母同意不同意。

（课文例句：妈妈还订好了机票，打定主意送儿子到上海后，留下来陪读。）

第二组：①我托中国朋友帮我租房子。

②找工作还得靠自己，托人不一定能找到自己满意的。

③妈妈托人给我带来一些衣服。

（课文例句：她已经托朋友在大学附近租了一套房子。）

第三组：①那不是真的出租车，是"黑车"，最好别坐。

②那个店简直是黑店，卖的东西又贵，质量又不好。

③很多年以前，人们去黑市换美元。

（课文例句：儿子天天放学后竟然去"黑网吧"玩儿游戏。）

第四组：①妻子管丈夫的妈妈叫"婆婆"。

②有人管外国人叫"老外"。

③你们管什么样的孩子叫"问题儿童"？

（课文例句：有人管这样的父母叫"陪读父母"。）

第五组：①你要么写作业，要么看书，不能上网。

②去旅行，要么参加旅行团，要么自己去，两个方法都可以。

③这个东西质量太差了，你要么给我换一个，要么退钱。

（课文例句：这些家长要么担心这些孩子会变坏，要么担心他们生活不能自理。）

11-3 二、听全文，选择课文的主要内容是什么，在括号里画✓

1. 小华考上大学的故事。　　　　　（　　）

2. 上大学需要多少钱。　　　　　　（　　）

3. 很多父母给孩子陪读。　　　　　（ ✓ ）

4. 陪读是学校的要求。　　　　　　（　　）

11-3-1 三、根据课文第一段内容，边听边填表

东西	电脑	手机	电子词典	耐克鞋	箱子
价格	13000 元	3000 元	1000 多元	780 元	1500 元

11-3-2 四、根据课文第二段内容，选择正确答案（可以多选）
11-4

1. 关于小华，下面哪些是对的？（ C、D ）

　　A. 家在上海　　　　　　　　　　B. 从来不写作业

　　C. 去黑网吧以后，成绩变差　　　D. 生活自理能力差

2. 关于小华的妈妈，下面哪些是对的？（ A、C ）

　　A. 打算留在上海　　　　　　　　　B. 打算住在大学宿舍

　　C. 担心小华管不住自己　　　　　　D. 打算跟踪儿子

3. 小华的妈妈为什么要去陪读？（ A、B、C ）

　　A. 怕他变坏　　　　　　　　　　　B. 担心他不会洗衣服

　　C. 因为他自理能力差　　　　　　　D. 怕自己想儿子

11-3-3 五、根据课文第三段内容，判断正误

1. "陪读父母"指的是父母跟着子女到他们上学的地方，照顾他们的生活和学习。 （ √ ）

2. 父母只为中小学生陪读，不给上大学的子女陪读。 （ × ）

3. 有些家长从大城市到小县城陪读。 （ √ ）

4. 家长陪读的唯一原因就是担心孩子学习不好。 （ × ）

5. 有农民把子女转到城里的学校上学。 （ √ ）

6. 农民老张希望儿子能玩命挣钱。 （ × ）

7. 老张希望儿子能上最好的大学。 （ √ ）

11-5 六、边听录音边填空，然后回答问题

1. 小华上的中学是（重点）中学，初一时成绩在全年级（排）第二名，初二时，儿子的老师告诉她，她儿子从来不交作业，学习成绩（一落千丈）。

　　问：小华上的是什么中学？他的学习怎么样？后来成绩怎样了？

2. 有从（农村）到城市陪读的，还有从大城市到小县城陪读的；有父母中的一个人陪读的，也有父母（双双）陪读的，甚至还有父母（分别）为两个孩子陪读的。

　　问：父母为孩子陪读的形式有哪些？讨论一下，为什么有的父母从大城市到小县城陪读？

3. 这些家长要么担心这些孩子会（变坏），要么担心他们生活不能（自理），才放弃工作，（离开）家乡去陪读。

　　问：父母陪读的原因是什么？

4. 住在（郊区）的老张为了让儿子进城上个好中学，在城里（租）了房，又向学校（交）了几万元赞助费，让爱人（进城）给儿子陪读。

　　问：老张为儿子进城上个好中学，做了哪些事？

七、在合适的词语之间连线，组成正确搭配

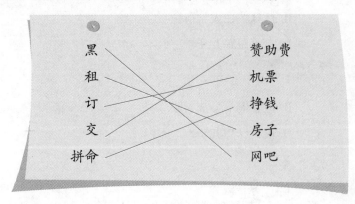

11-6 八、选词填空

| 订　主意　托　黑　管……叫……　要么……要么…… |

1. 暑假，我（要么）旅行，（要么）回国。

2. 工作是你的事，所以还得自己拿（主意）。

3. 小事妻子拿（主意），大事他们俩商量。

4. 他很怕寂寞，总（托）人给他介绍女朋友。

5. 有人（管）汉堡包和披萨（叫）"垃圾食品"。

6. 我上网（订）好了宾馆，咱们直接去就行了。

7. 那是一家（黑）职业介绍所，光收钱，不给介绍工作。

8. 有的年轻人（管）父母（叫）"老爸、老妈"。

9. （要么）留在学校工作，（要么）自己开公司，当老板。

10. 我想（订）一张星期三去上海的机票。

要求

① 请先独立填写答案
② 填好后同学之间可以讨论
③ 最后听录音

12 好梦成真

课　文

好梦成真

①玲玲的家十分富裕，她的父母非常爱她，她的学习成绩从小学到初中一直是班里前几名，玲玲才十五岁就已长到一米六，苗条又美丽——不论从哪方面说，玲玲都算得上幸运。

有一天老师出了个作文题，把玲玲给难住了。

那个作文题是"好梦成真"。老师说：要写真人真事，不要胡编乱造。想要的东西玲玲都有了。连本来没特别想要的，也全都有了，比如当班干部，当三好学生，过年过节亲戚送的礼物。这样一来，玲玲还需要什么好梦？没有好梦，又怎么说好梦成真呢？

星期日的上午，玲玲苦苦想着怎么写这篇作文，想不出来，心里有点儿烦。

②钟点工照例准时来她家打扫卫生，照例带来了刚上一年级的小女儿。钟点工的小女儿很懂事，像她妈妈一样不发出任何声音。

小女孩也不是一开始就这么懂事的，第一次来的时候，她把玲玲的玩具给弄脏了，玲玲的脸色很难看。她妈妈打了她。小女孩从此再也不敢走进玲玲的房间，最多趁玲玲不注意躲到门口张望。有什么办法，玲玲的房间太漂亮了，对贫困家庭的小孩来说，诱惑实在是太大了。

这天玲玲又从镜子里看见小女孩向她的房间里张望。玲玲心里正烦着，就回头瞪了她一眼。小女孩吓得赶紧走开。

钟点工临走时，玲玲觉得有些对不起小女孩，随手从桌上拿了两支铅笔和一块巧克力，递给她。

钟点工带着小女孩走了。没走多远，小女孩就发出一阵欢呼，接下来的一句话，让玲玲惊心。

那小孩说："妈妈，今天大姐姐怎么会对我那么好，妈妈，我真像做梦一样！"

玲玲流下了眼泪。好梦成真原来是那么简单的事，自己无意中的一个小小举动，就让一个小孩好梦成真了。

（选自莫小米同名文章）

练 习

12-2 一、请仔细听录音，找出每组句子有什么共同的地方

第一组：① 他虽然算不上最聪明的，可是却非常刻苦。

② 今年工作不好找，能进公司已经算得上幸运了。

③ 儿女对他很好，身体也不错，他算得上是一个幸福的老人。

（课文例句：不论从哪方面说，玲玲都算得上幸运。）

第二组：① 他从小就想当老师，现在终于好梦成真了。

② 父母希望孩子能当班长，认为这是一个锻炼。

③ 毕业以后，他当了医生。

（课文例句：连本来没特别想要的，也全都有了，比如当班干部，当三好学生，）

第三组：① 一不小心，我把刚买的手机给丢了。

② 学费要 1000 块钱，这可把我给吓住了。

③ 你把我的书给放哪儿了？

（课文例句：第一次来的时候，她把玲玲的玩具给弄脏了。）

第四组：① 你的脸色不太好，是不是哪儿不舒服？

② 看到车撞了人，他脸色都变了。

③ 他虽然八十多岁了，可是脸色特别好。

（课文例句：她把玲玲的玩具给弄脏了，玲玲的脸色很难看。）

第五组：① 他趁放假，去了一趟西藏。

② 我想趁周末把作业写完。

③ 趁着现在没事，我打算去一趟超市。

（课文例句：小女孩从此再也不敢走进玲玲的房间，最多趁玲玲不注意躲到门口张望。）

12-3 二、听全文，在括号中正确的选项后画 √

1. 玲玲为（写一篇作文 √　　梦想没有实现　　）发愁。

2. 钟点工的女儿比玲玲（大　　小 √　　）。

3. （玲玲 √　　钟点工的女儿　　）是个什么都不缺的孩子。

4. 她们俩（是　　不算是 √　　）好朋友。

5. 玲玲送小女孩铅笔是因为（对不起 √　　喜欢　　）她。

12-3-1
12-4
三、根据课文第一段内容，选择正确答案

1. 关于玲玲，下面哪一条是错的？（ D ）
   A. 长得漂亮　　　　　　　B. 父母很爱她
   C. 学习很好　　　　　　　D. 想当班干部

2. 玲玲的烦恼是什么？（ C ）
   A. 不会做梦　　　　　　　B. 当不上三好学生
   C. 写不出作文　　　　　　D. 没有人给她礼物

3. 为什么玲玲写不出作文？（ A ）
   A. 她想要的都有了　　　　B. 她想要的都实现不了
   C. 她最近没有做梦　　　　D. 她不想要的也都有了

4. 老师对作文的要求是什么？（ A ）
   A. 必需真实　　　　　　　B. 要写自己的梦想
   C. 可以编造　　　　　　　D. 可以写别人的梦想

12-3-2
四、根据课文第二段内容，判断正误

1. 钟点工带着女儿来玲玲家打扫卫生。　　　　　　（ ✓ ）
2. 钟点工的女儿是第一次来玲玲家。　　　　　　　（ × ）
3. 小女孩一直很懂事。　　　　　　　　　　　　　（ × ）
4. 小女孩以前弄脏过玲玲的玩具，玲玲不高兴。　　（ ✓ ）
5. 小女孩一直想办法进玲玲的房间。　　　　　　　（ × ）
6. 玲玲发现小女孩进了她的房间，就瞪了她一眼。　（ × ）
7. 妈妈让玲玲送给小女孩铅笔和巧克力。　　　　　（ × ）
8. 小女孩大声感谢了玲玲。　　　　　　　　　　　（ × ）
9. 小女孩没想到玲玲对她那么好。　　　　　　　　（ ✓ ）
10. 玲玲没想到好梦成真这么简单。　　　　　　　（ ✓ ）

12-5
五、边听录音边填空，然后回答问题

1. 想要的东西玲玲都有了，连本来没（特别）想要的，也全都有了，比如（当）班干部，当（三好）学生，过年过节亲戚送的礼物。

   问：玲玲是个什么样的孩子？

2. 小女孩也不是一开始就这么（懂事）的，第一次来的时候，她把玲玲的玩具（弄脏）了。玲玲的（脸色）很难看。

   问：小女孩第一次来做了什么？玲玲有什么反应？

3. 小女孩（从此）再也不敢走进玲玲的房间，最多趁玲玲（不注意）躲到门口张望。有什么办法，玲玲的房间太漂亮了，（对）贫困家庭的小孩（来说），诱惑（实在）是太大了。

问：小女孩不敢做什么事？她做了什么事？为什么？

4. 这天玲玲又从（镜子）里看见小女孩向她的房间里张望。玲玲心里正（烦着），就（回头）瞪了她一眼。小女孩（吓得）赶紧走开。

问：小女孩正在做什么？玲玲怎么知道的？她对小女孩做了什么？小女孩怎么了？

12-7 六、选词填空

算得上/算不上　　当　　把……给……　　脸色　　趁　　对……来说

1. 他的（脸色）很难看，像是刚生过病。

2. 小时候，我想长大以后（当）警察。

3.（当）老师的好处就是比较自由。

4. 他的解释（把）我（给）说糊涂了。

5. 我连房子都买不起，怎么（算得上）有钱人？

6. 他每次喝完酒，（脸色）就变红了。

7. 孩子（趁）父母不在家，偷偷玩儿电脑游戏。

8. 虽然她是全职太太，可她写书、炒股票，（算得上）一个能人。

9. 我跟他只是认识，（算不上）朋友。

10.（对）农村的孩子（来说），能来城里读书很幸运。

要求
① 请先独立填写答案
② 填好后同学之间可以讨论
③ 最后听录音

13 关于望子成龙

课 文

关于望子成龙

① 张艳：李霞，怎么星期六、星期天休息两天，你好像越歇越累了？

李霞：可不是嘛，我这周末两天，一天都没闲着，比上班还累。

男：都干吗去啦？

李霞：星期六上午看我爸、我妈，下午看他爸、他妈。

男：那星期天呢？

李霞：星期天儿子上课，上午上数学班，下午是外语班。孩子上课，我就得逛街，一天没休息，你说累不累。

张艳：又一个望子成龙的。现在望子成龙的太多啦。你说，咱们小时候，什么班也不上，天天玩儿，不是也长大了吗？也没比他们傻多少。

李霞：张艳，你这话我就不爱听，怎么望子成龙啦，人家都学你不学，等着淘汰呐！

张艳：那就是都望子成龙呗。

② 张艳：跟你说心里话，我们孩子从小，我就什么班也没让他上过，我不想加重孩子的负担。你看看初中生已经有多少门课了，我算了算，我们孩子初二，整整13门课。原来咱们上学的时候，星期六也要上课，现在他们一星期就上五天课，反而比咱们还累。你再看看孩子那作业，咱们小时候做过那么难的题吗？

男：张艳说得对。我们孩子上初三更可怜了，根本就没玩儿的时间，更不用说看电视了，老师说了，想上高中、特别是想上好高中，非得报班不可。

李霞：是呀，总不能让孩子连高中也不上吧。

男：我觉得不少家长没想让孩子出人头地，只希望将来孩子有个好点儿的工作。

李霞：这话说得对。如果咱们就生在农村，教育落后也就算了，现在不是，在大城市你不给孩子创造学习的条件，那孩子不就被淘汰了吗？

张艳：听你们俩这么说，我觉得家长也是没办法。

李霞：是啊，要不怎么别人一说我望子成龙，我就想跟他急呢。

练　习

13-2 一、请仔细听录音，找出每组句子有什么共同的地方

第一组：① 我的手机用了五年了，该淘汰了。

② 淘汰的电脑不能随便扔掉，不然会污染环境。

③ 这个学校实行淘汰制，学习不好的学生就得回家。

（课文例句：人家都学你不学，等着淘汰呐！）

第二组：① 孩子的学习负担太重了，没有玩儿的时间。

② 学校总是说要减轻学生的负担，可是作业越来越多。

③ 他们家工作的人少，吃饭的人多，负担可不小。

（课文例句：我们孩子从小，我就什么班也没让他上过，我不想加重孩子的负担。）

第三组：① 他从来不锻炼身体，身体反而特别好，真奇怪！

② 在四月一号那天骗人，人们不但不生气，反而会觉得有趣。

③ 出国旅游的人不但没有减少，反而增加了10%。

（课文例句：原来咱们上学的时候，星期六也要上课，现在他们一星期就上五天课，反而
比咱们还累。）

第四组：① 我从来没听说过老师的故乡，更不用说去过那里了。

② 他本来就不喜欢吃这种传统食品，更不用说自己做了。

③ 他连家乡都没离开过，更不用说出国了。

（课文例句：我们孩子上初三更可怜了，根本就没玩儿的时间，更不用说看电视了。）

第五组：① 这道题不会做就算了，明天问问老师。

② 现在人们很少写信，有事打个电话就算了。

③ 丢了就算了，再买个新的，反正你的手机也该淘汰了。

（课文例句：如果咱们就生在农村，教育落后也就算了，现在不是，在大城市你不给孩子
创造学习的条件，那孩子不就被淘汰了吗？）

13-3 二、听全文，在括号中正确的选项后画 √

1. 一共有（两个　　三个 √　　）人说话。

2. 他们谈论的是自己的（孩子 √　　学生　　）。

3. 他们都认为，孩子的学习负担（很重 √　　不重　　）。

4. 他们都是（农村人　　城里人 √　　）。

5. 最后，他们（找到了　　没找到 √　　）解决问题的好办法。

13-3-1 三、根据课文第一段内容，判断正误

1. 李霞周末加班，比上班还累。 （ × ）

2. 李霞周末逛街，所以比较累。 （ × ）

3. 李霞认为自己不是望子成龙的人。 （ √ ）

4. 张艳小时候很糊涂。 （ × ）

5. 他们小时候都不喜欢学习，只喜欢玩儿。 （ × ）

6. 李霞的孩子正在等着被淘汰。 （ × ）

13-3-1
13-4 四、根据课文第一段内容，选择正确答案

1. 这个周末，李霞没做下面哪件事？（ C ）

　　A. 看自己的父母　　　　　　　　B. 看丈夫的父母

　　C. 上数学班和外语班　　　　　　D. 逛街购物

2. 孩子上课，妈妈为什么要逛街？（ A ）

　　A. 她没地方待　　　　　　　　　B. 她喜欢逛街

　　C. 她要买东西　　　　　　　　　D. 她太累了

3. 李霞为什么不喜欢别人说她望子成龙？（ A ）

　　A. 她只是不愿意孩子被淘汰　　　B. 她的孩子快被淘汰了

　　C. 她的孩子是女孩儿，不是男孩儿　D. 她的孩子有点儿傻

13-3-2 五、根据课文第二段内容，判断正误

1. 张艳的孩子什么课外班也没上过。 （ √ ）

2. 初二的学生每天上 13 门课。 （ × ）

3. 现在的孩子一个星期上六天课。 （ × ）

4. 说话人小时候星期六也上课。 （ √ ）

5. 过去的孩子作业没有现在这么难。 （ √ ）

6. 男的的孩子喜欢看电视。 （ × ）

7. 男的的孩子连高中也不想上。 （ × ）

8. 现在的家长都想让孩子出人头地。 （ × ）

13-5 六、边听录音边填空，然后回答问题

1. 人家都学你不学，（等着）淘汰呐！

　　问：什么人会被淘汰？

2. 咱们小时候，（什么）班也不上，天天玩儿，（不是）也长大了吗？也（没比）他们傻多少。

问：说话人小时候上辅导班吗？跟现在的孩子比，谁聪明？谁傻？

3. 老师说了，想上高中、（特别是）想上好高中，（非得）报班不可。

问：想上好高中，必须要怎么样？"报班"是什么意思？

4.（总不能）让孩子连高中也不上吧。

问："上高中"是一个很高的要求还是很低的要求？

5. 如果咱们就生在农村，教育（落后）也就算了。现在不是，在（大城市）你不给孩子创造学习的（条件），那孩子不就被（淘汰）了吗？

问：说话人认为，如果他们生活在农村，他们会怎么样？在现在的情况下，他们应该怎么做？

七、根据课文内容填表

现在的学生和过去相比，在哪些方面有差别？

A. 周末要上辅导班　　　B. 整天玩儿　　　C. 星期六要上课　　　D. 一周上五天课

E. 作业不难　　　F. 作业很难　　　G. 负担重

现在的学生	A	D	F	G
过去的学生	B	C	E	

13-6 八、选词填空

淘汰　　负担　　反而　　更不用说　　算了

1. 下了一场雨，天气没有凉快，（反而）更热了。

2. 他的钱连买汽车都不够，（更不用说）买房子了。

3. 人口老龄化，是全社会的（负担）。

4. 售货员太热情，（反而）让人不舒服。

5. 以前我连国家队都进不去，（更不用说）参加国际比赛。

6. 我拼命干活，是不想被（淘汰）。

7. 我周末都没怎么休息过，（更不用说）休年假了。

8. 他不来就（算了），咱们自己玩儿。

9. 这场比赛是（淘汰）赛，输了就会被（淘汰）。

要求
① 请先独立填写答案
② 填好后同学之间可以讨论
③ 最后听录音

14 在家上学行不行

课　文

在家上学行不行

① 新学期开始的时候，7 岁的女孩王一凡没有像其他小朋友一样背着书包去上学，因为她正在家自学。认识她的人都惊讶地问："不去学校上学，完全在家自学，能行吗？"

昨天，记者采访了王一凡的妈妈。

王一凡的妈妈是一家幼儿园的园长，一凡大部分的生活和学习时间就是在妈妈的办公室里度过的。记者走进办公室，只见录音机正播放着英语，一凡就坐在桌子旁，认真练习英语听力。

记者：一凡的一天是怎么过的呀？是不是一直在读书呀？

妈妈：上午在一个京剧学校练习 3 个小时的京剧，下午弹两个小时的钢琴，接下来开始学习课本，一直到晚上。全天算下来，学习课本的时间只有 4 个小时。

记者：她从什么时候就开始学习了？

妈妈：从 4 岁开始，我就指导她学习。7 岁，就学完了小学的所有课程，还参加了小学毕业考试，成绩全是优。现在，她开始学习初中课程，英语已经掌握了 2000 多单词，语文学到了初中第二册。

记者：那以后有什么打算？

妈妈：我想先让她学一年英语，然后再用六年时间学中学的课程，我希望她 14 岁考上一所外语大学。

② 记者：孩子不去学校，会不会很孤独？

妈妈：我不会把孩子培养成书呆子，其实，除了上课不在学校以外，孩子还是会跟同龄人交往的，她并不孤独。

记者：您能辅导所有的课程吗？

妈妈：现在没问题，以后要是课程难了，我会尝试"网络教育"，网上的资源太丰富了，想找什么都能找到。

对于王一凡的学习方法，朱先生发表了不同看法。

朱先生：我认为不让孩子进学校读书的做法不好，现在家里都是独生子女，本来就缺少伙伴，上学了，同龄的孩子在一起，才能学会怎么跟别人交往。如果离开学校，读再多的书，有再多的知识，也不一定有用。

记者也听到了赞成的观点。

刘女士：我很赞成这种自学的方法，我的孩子 8 岁了，现在上小学三年级，每天很早起床去上学，中午也不能休息，晚上回家除了写作业，还是写作业，而且孩子的一些爱好在学校里也受到了限制，让人感觉教育方法有点问题。如果换一种学习方式，肯定比现在要好。

练　习

14-2 一、请仔细听录音，找出每组句子有什么共同的地方

第一组：① 我的工资不太多，可算上奖金，就不少了。

② 每天上 4 小时汉语课，一周算下来，有 20 小时。

③ 他们公司很小，算上老板只有 5 个人。

（课文例句：全天算下来，学习课本的时间只有 4 个小时。）

第二组：① 我认识他，可是交往不太多。

② 孩子们很喜欢和同龄人交往。

③ 只有在和平的环境下，两国人民才能正常交往。

（课文例句：除了上课不在学校以外，孩子还是会跟同龄人交往的。）

第三组：① 他本来想赚一笔钱的，没想到却赔了。

② 那间屋子本来就不大，四个人一起租就显得很挤了。

③ 我本来出来得很早，可路上堵车，还是迟到了。

（课文例句：现在家里都是独生子女，本来就缺少伙伴，上学了，同龄的孩子在一起，才　能学会怎么跟别人交往。）

第四组：① 对他的做法，有人赞成，有人反对。

② 去旅行？太好了，我举双手赞成！

③ 我可不赞成让孩子上各种辅导班。

（课文例句：我很赞成这种自学的方法。）

第五组：① 小学生的负担真重，除了作业，还是作业。

② 他别的事不干，每天除了上网，还是上网。

③ 快要高考了，妈妈除了唠叨，还是唠叨，我都烦死了。

（课文例句：晚上回家除了写作业，还是写作业。）

14-3 二、听全文，在括号中正确的选项后画 √

1. 王一凡没去上学，是因为她（在家自学 √　年龄太小　　）。

2. 她妈妈（自己 √　　请老师　　）教她。

3. 妈妈希望她以后能上（中学　　大学 √　　）。

4. 对于在家学习，另外两个家长的看法（不一样 √　　一样　　）。

14-3-1 三、根据课文第一段内容，判断正误

1. 7 岁的孩子应该上小学了。 （ √ ）

2. 王一凡没去上学，还在上幼儿园。 （ × ）

3. 记者采访的时候，王一凡在练习英语听力。 （ √ ）

4. 王一凡大部分时间是在家里度过的。 （ × ）

5. 妈妈教王一凡唱京剧、弹钢琴。 （ × ）

6. 王一凡已经学完了小学的课程。 （ √ ）

7. 王一凡的妈妈希望她能在 14 岁考上大学。 （ √ ）

14-3-1 四、根据课文第一段内容连线

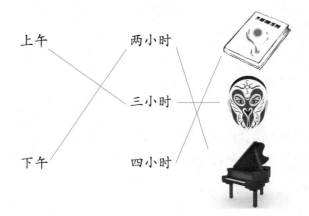

上午　　　　两小时

三小时

下午　　　　四小时

14-4 五、边听录音边填空

王一凡（4）岁开始学习，到（7）岁学完了小学课程。然后，妈妈希望她用一年时间学英语，然后再用（6）年时间学习中学课程，（14）岁考上一所外语大学。

14-3-2
14-5 六、根据课文第二段内容，选择正确答案

1. 如果课程太难，妈妈辅导不了，怎么办？（ B ）

A. 去学校学　　　　　　　B. 依靠网络学习

C. 花钱请老师　　　　　　D. 跟同龄人学

2. 王一凡的妈妈为什么不让她去学校上学？（ D ）

A. 学校会培养书呆子　　　B. 学校作业太多

C. 她比别的孩子聪明　　　D. 课文没说为什么

3. 反对的人认为在家学习有什么坏处？（ A ）

A. 不会与人交往　　　　　B. 读的书太少

C. 家长辅导不了　　　　　D. 学的知识没用

4. 赞成的人认为学校教育有问题，下面哪一条不是她说的问题？（　D　）

　　A. 每天作业太多　　　　　　B. 孩子不能充分休息

　　C. 不能发展兴趣　　　　　　D. 老用一种方法教学

14-6 七、选词填空

> 算　　交往　　本来　　负担　　除了……，还是……

要求
① 请先独立填写答案
② 填好后同学之间可以讨论
③ 最后听录音

1. 这件事过去就过去了，不要有思想（负担）。

2. 99% 的人赞成减轻孩子的学习（负担）。

3. 她的父母不太愿意她跟很多男孩子（交往）。

4. 他是工作狂，（除了）工作，（还是）工作。

5. 他每天上网，越来越不喜欢跟现实中的人（交往）。

6. 每天写三个汉字，一年（算）下来就不少了。

7. 那时候，吃的东西太少了，每天（除了）土豆，（还是）土豆。

8. 我对历史（本来）就有兴趣，所以考得比别人好。

9. 喝茶（本来）是中国人的习惯，现在世界上的任何地方都有人喝茶了。

10. 他们（本来）是想喝酒的，但是吃完饭得开车，所以大家都没喝酒。

11. 每个月工资 5000 块，（算）上年终奖，一年能挣七万左右。

15 一件西服

课　文

一件西服

① 在我们这座城里，提起"福记西服"，没有一个人不知道。二十多年来，生意一直很红火。其实，"福记西服"的价钱并不便宜，样子也不算时尚，甚至可以说，朱老板人虽然和蔼，做生意却有点儿奇怪。

比如有人自己拿布料上门，请老板做一套西服，布料太差的，朱老板一定拒绝。顾客要求特别的样子，老板也不接受。这样一来，推出去的生意还真不少。

有意思的是，店里的每个店员都像朱老板一样，谁接活儿，这个规矩也不变。听说这都是他们知道朱老板一件"西服上衣"的故事以后，才坚持这个规矩的。这是怎么回事呢？还得从朱老板很多年前在上海刚开裁缝店的时候说起。朱老板说：有一天来了一位顾客，拿着布料让我做一件西服，我一看布料说："这布料太差了，做西服不值得。"顾客说："你只管赚钱就行了，管什么布料？"我一想也对，就接了。接着，顾客又要求把扣子和扣眼缝得不一样高，我笑了笑说："哪有这样的西服，那怎么穿哪？"顾客说："你就这么做，只管赚钱就行了。"我又想，只要他给钱，有什么问题呢？就答应了。

② 没过多久，马路对面开了一家西服店，把我的生意全抢了。只要有客人去，那个店的老板就会拿出一件西服给他看，让对方摸摸布料，看看扣子，再看看商标——那是我的商标啊！我不得不关门了。临走时，我到对面那家店，拜访了他们的老板，原来正是来我这儿做西服的那个客人。我说："我要走了，再也不回上海了，唯一的请求是，能不能让我买回自己做的那件西服。"他答应了，还对我说："年轻人，钱虽然重要，原则却是更重要的啊！"我受到很大的震动。

几十年来，这件西服一直挂在"福记"的柜子里，每个店员打开柜子门拿东西都能看得到。

（选自刘墉《一件西服的传奇》）

57

练 习

15-2 一、请仔细听录音，找出每组句子有什么共同的地方

第一组：① 这家店越来越红火，做西服的，甚至要提前半年来排队。

② 最近我太忙了，甚至连给家里打电话的时间都没有了。

③ 这不是一个地区的问题，是全国甚至全世界的问题。

（课文例句："福记西服"的价钱并不便宜，样子也不算时尚，甚至可以说，朱老板人虽然和蔼，做生意却有点儿奇怪。）

第二组：① 他是顾客，我不好拒绝他的要求啊。

② 他总是不好意思拒绝别人。

③ 他拒绝了一个高工资的工作，回到家乡去了。

（课文例句：有人自己拿布料上门，请老板做一套西服，布料太差的，朱老板一定拒绝。）

第三组：① 弟弟在家什么活儿也不干。

② 他们刚接了一个活儿，周末休息不了了。

③ 司机愿意拉一个远点儿的活儿，近的活儿挣钱少。

（课文例句：店里的每个店员都像朱老板一样，谁接活儿，这个规矩也不变。）

第四组：① 不能只管挣钱，别的都不管。

② 他只管卖东西，从不注意东西的质量怎么样。

③ 别只管自己吃，也得招呼客人啊。

（课文例句：你只管赚钱就行了，管什么布料？）

第五组：① 临去飞机场，我才发现没带护照。

② 临走的时候检查一下是不是关了电灯。

③ 他临来北京上学的时候，去看了他的中学老师。

（课文例句：临走时，我到对面那家店，拜访了他们的老板。）

15-3-1 二、根据课文第一段内容，选择正确答案
15-4

1. "福记西服"是一个什么店？（ B ）

    A. 服装店   B. 裁缝店

    C. 百货商店   D. 布料店

2. 下面哪一项不是"福记西服"的特点？（ C ）

    A. 价钱不便宜   B. 样式不新潮

    C. 老板不和蔼   D. 做生意有点儿怪

3.朱老板不做什么活儿？（　A　）

  A.样式特别的   B.价格便宜的

  C.不时尚的   D.自己带布料的

15-3-1 **三、根据课文第一段内容，把顾客和朱老板的对话填在适当的位置**

  A.你只管赚钱就行了，管什么布料？

  B.哪有这样的西服，那怎么穿哪？

  C.你就这么做，只管赚钱就行了。

  D.这布料太差了，做西服不值得。

  有一天来了一位顾客，拿着布料让我做一件西服，我一看布料说："　D　"顾客说："　A　"我一想也对，就接了。接着，顾客又要求把扣子和扣眼缝得不一样高，我笑了笑说："　B　"顾客说："　C　"我又想，只要他给钱，有什么问题呢？就答应了。

15-3-2 **五、根据课文第二段内容，判断正误**

  1.那件西服做得不好，是因为朱老板的技术不好。   （　×　）

  2.那位顾客故意要求朱老板做一件不合格的西服。   （　√　）

  3.那件不合格的西服让朱老板的裁缝店关门了。   （　√　）

  4.对门老板抢了朱老板的生意。   （　√　）

  5.不合格的西服挂在对门西服店的柜子里。   （　×　）

  6.那个顾客就是开西服店的。   （　√　）

15-3-2
15-5 **六、根据课文第二段内容，选择正确答案**

  1.朱老板在什么时候听到"钱虽然重要，原则却是更重要的啊"这句话的？（　A　）

  A.上海裁缝店关门时   B.在上海开裁缝店时

  C.当"福记西服"店老板时   D."福记西服"关门时

  2.让朱老板关门的那件西服是什么样的？（　B　）

  A.布料很好   B.不能穿的

  C.样子新潮   D.没有商标

  3.那个客人为什么请朱老板做一件不好的西服？（　C　）

  A.跟他开玩笑   B.想看他懂不懂原则

  C.想抢走他的生意   D.想给他一个教训

15-6 八、选词填空

| 甚至 | 活儿 | 只管 | 拒绝 | 临 |

1. 他说得很慢，有时（甚至）五六分钟才说一句话。

2. 只要能挣钱，什么脏（活儿）、累（活儿）他都干。

3. 他（临）走让我向大家问好。

4. 他（只管）自己舒服，不管别人怎么想。

5. 他被（拒绝）过一千多次，但是仍然没有放弃。

6. （临）出发以前，他给我们介绍了旅行路线。

7. 他一点儿也不大方，（甚至）可以说有点儿小气。

8. 虽然退休了，可是每天都有干不完的（活儿）。

9. 我们需要提前几个星期，（甚至）半年就开始订票。

10. 他（只管）自己上网，家务活儿都是妻子的。

要求
① 请先独立填写答案
② 填好后同学之间可以讨论
③ 最后听录音

16 设置密码

课　文

设置密码

为了防止儿子随便用电脑，我们想了各种方法。把房门锁起来，他总是能找到钥匙；把房门钥匙带走，他竟然从阳台爬进我们的卧室。

没办法，我们给电脑设置了密码。我们家的存折密码都是儿子的生日，电脑密码也设置为儿子的生日。给电脑上把锁，看他还有什么办法。

星期天，我们有事出门，留下儿子一个人在家。下午回到家，儿子正坐在电脑前，眼睛玩儿得发直，连我们开门进屋都不知道。密码被他破解了。

我们赶紧修改密码。这次必须弄个又好记又让他破解不了的密码。我们决定换成他妈妈的生日来做密码。这孩子，我和他妈妈的生日，告诉他无数遍，可他就是记不住，这让我们很失望。

又一次出门，我告诉儿子，不准碰电脑。儿子说，我知道你们换了密码，想玩儿也打不开电脑啊。我觉得又好气又好笑，谁让你连爸爸妈妈的生日都记不住？

晚上回家，儿子果然安静地在做作业，呵呵，密码还是有用的。

可是，走进书房，我却大吃一惊，几只抽屉被翻得乱七八糟，就像小偷来过一样，户口本打开着。我马上明白了，看来儿子为了破解我们的密码，真是费了不少心。我相信他现在一定已经记住了我和他妈妈的生日，可惜不是因为亲情，而仅仅因为它们可能成为密码。

唉，又得改密码了。弄个简单的吧，儿子一下子就能破解；弄个复杂的吧，又担心连我们自己也会忘记。想来想去，妻子忽然说，用他奶奶名字的拼音，儿子不知道奶奶的名字，更不会想到我们会用他奶奶的名字来设置密码。

这仍然是一个简单的密码，母亲的名字只有九个拼音字母，但是，对儿子来说，这恐怕是一个他做梦也想不到的密码。

这次密码修改后，儿子果然一直没能破解。

电脑安全了，我却高兴不起来。

儿子不能破解我们的密码，无法随便打开电脑，这虽然是我的愿望，可是，他不能破解，也让我很失望。其实儿子只要对我们这个家，对自己的亲人多关注一点，我们设置的密码，就很容易破解。孩子，你很聪明，但你缺少的，是对自己亲人的了解和关心啊。

（选自孙道荣同名文章）

练　习

16-2 一、请仔细听录音，找出每组句子有什么共同的地方

第一组：① 刚来中国的时候，我连一句话都听不懂。

② 他的汉语可好了，连小说都能看懂。

③ 工作太忙了，连上厕所的时间都没有。

（课文例句：儿子正坐在电脑前，眼睛玩儿得发直，连我们开门进屋都不知道。）

第二组：① 谁让你不多穿点儿衣服，现在感冒了吧。

② 你的压力当然大了，谁让你是老板呢。

③ 谁让你光想买便宜的，你没听说过吗，便宜没好货。

（课文例句：我觉得又好气又好笑，谁让你连爸爸妈妈的生日都记不住？）

第三组：① 请你费心帮我找个工作吧，挣多少钱都行。

② 做一顿好吃的中餐是很费事的，不如去食堂吃饭。

③ 坐出租车多费钱啊，怎么不坐公共汽车呢？

（课文例句：看来儿子为了破解我们的密码，真是费了不少心。）

第四组：① 买房子吧，太贵了；不买吧，住哪儿啊？

② 点贵的菜吧，实在心疼；不点吧，又没面子。

③ 去旅行吧，没钱；不去吧，无聊。

（课文例句：弄个简单的吧，儿子一下子就能破解；弄个复杂的吧，又担心连我们自己也会忘记。）

第五组：① 你缺课太多了，恐怕不能参加考试了。

② 今天恐怕要下雨，你带雨伞了吗？

③ 我恐怕完不成任务了，周末得加班。

（课文例句：对儿子来说，这恐怕是一个他做梦也想不到的密码。）

16-2 二、听全文，在括号中正确的选项后画 √

1. 作者设置的密码是电脑（开机 √　　游戏　　）密码。

2. 儿子破解了（一些 √　　所有　　）密码。

3. 儿子对家人（比较　　不太 √　　）关心。

4. 作者的心情是（愤怒　　无奈 √　　）。

5. 儿子可能是（学生 √　　职员　　）。

16-3 **三、根据课文内容，判断正误**

1. "我们"不希望儿子随便用电脑。 （ ✓ ）

2. "我们"把儿子锁在屋子里。 （ × ）

3. 儿子从阳台爬进卧室是为了玩儿游戏。 （ × ）

4. 小偷进了"我们"家。 （ × ）

5. 儿子想了各种办法破解密码。 （ ✓ ）

6. 儿子不知道奶奶的名字。 （ ✓ ）

7. 儿子破解不了密码，"我们"很高兴。 （ × ）

16-3
16-4 **四、根据课文内容，选择正确答案**

1. 下面哪一项不是防止儿子用电脑的办法？ （ A ）

　　A. 把电脑锁在柜子里　　　　　　　B. 给电脑设一个密码

　　C. 把电脑锁在卧室里　　　　　　　D. 把锁电脑的房间钥匙带走

2. 第一次设置的密码很容易就破解了，原因是什么？ （ C ）

　　A. 儿子是电脑高手　　　　　　　　B. 他查了户口本

　　C. 密码是儿子的生日　　　　　　　D. 他问了奶奶

3. 第二次设置的密码是什么？ （ B ）

　　A. 儿子的生日　　　　　　　　　　B. 妈妈的生日

　　C. 奶奶的生日　　　　　　　　　　D. 奶奶的名字

4. "我"为什么对儿子感到失望？ （ D ）

　　A. 不能破解密码　　　　　　　　　B. 乱翻户口本

　　C. 随便用电脑　　　　　　　　　　D. 不关心父母

5. 为什么儿子可能记住父母的生日？ （ A ）

　　A. 他们的生日可能成为密码　　　　B. 爱父母，所以记住了

　　C. 父母告诉他很多次　　　　　　　D. 随时查户口本

6. 儿子做梦也想不到的密码可能是哪个？ （ D ）

　　A. 刘兰芬　　　　　　　　　　　　B. 610325

　　C. qiuju　　　　　　　　　　　　　D. liulanfen

五、为了防止儿子随便用电脑，作者想了各种方法，下面哪些是他用过的方法？请在使用过的方法后边画 √

A. 给电脑上一把锁　　　　　　　　　（　　）
B. 给放电脑的房间上一把锁　　　　　（ √ ）
C. 用儿子的生日当密码　　　　　　　（ √ ）
D. 用妈妈的生日当密码　　　　　　　（ √ ）
E. 用爸爸的生日当密码　　　　　　　（　　）
F. 用奶奶的生日当密码　　　　　　　（　　）
G. 用奶奶的名字当密码　　　　　　　（　　）
H. 用奶奶名字的拼音当密码　　　　　（ √ ）

六、作者设置的密码是什么？有什么特点？请填表

密码：A. 儿子的生日　　　B. 妈妈的生日　　　C. 爸爸的生日　　　D. 奶奶的生日　　　E. 奶奶名字的拼音

难易程度：最容易 ☺；有点儿难 ☹；很难 ☹

是否有效：有效 √；无效 ×

	密码	难易程度	是否有效
第一次	A	☺	×
第二次	B	☹	×
第三次	E	☺	√

16-5 七、边听录音边填空，然后回答问题

1. 下午回到家，儿子正坐在电脑前，眼睛玩儿得（发直），连我们开门进屋都不知道。

问：你填的是什么？请你做一下这个动作。人在什么情况下会这样？

2. 我们家的存折（密码）都是儿子的生日，电脑密码也（设置）为儿子的生日。给电脑上把锁，（看）他还有什么办法。

问：电脑的密码跟什么密码一样？"给电脑上把锁"的"锁"用钥匙可以打开吗？在这里是什么意思？

3. 儿子说，我知道你们换了密码，（想）玩儿也打不开电脑啊。我觉得又（好气）又（好笑），（谁让）你连爸爸妈妈的生日都记不住？

问：儿子打不开电脑，"我"有什么感觉？"我"为什么生气？觉得什么很可笑？

4. 走进书房，我却（大吃一惊），几只抽屉被（翻）得乱七八糟，就像小偷来过一样，户口本（打开）着。我马上明白了，（看来）儿子为了破解我们的密码，真是（费）了不少（心）。

   问：书房怎么了？户口本和密码有什么关系？

5. （弄）个简单的吧，儿子（一下子）就能破解；弄个复杂的吧，又（担心）连我们自己也会忘记。

   问：这个句子里有一对意思相反的词，是什么？好的密码应该有什么特点？

八、"密码"的前边可以有哪些动词？选词填空

| 设置 输入 修改 确认 破解 使用 |

1. 请（输入）密码，然后按（确认）键。

2. 他是电脑高手，什么密码都能（破解）。

3. 你最好给电脑（设置）一个开机密码。

4. 我的银行卡丢了，得赶紧去银行（修改）密码。

5. 在ATM机上，可以（修改）信用卡密码。先（输入）原来的密码，然后（输入）新密码，最后（确认）新密码。

6. 请按 Enter 键（确认）您的密码。

7. 为了不让儿子用电脑，他们（修改）了好几次密码。

16-6 九、选词填空

| 连……都…… 费心/事 ……吧，……吧 恐怕 谁让…… |

1. 你跟我借三万块钱？我（恐怕）借不了。

2. 考试没考好？（谁让）你不好好准备的？

3. 这个地方，我（连）听（都）没听说过。

4. 以前要写一封信多（费事）啊，现在发 E-mail 就省事多了。

5. （谁让）你一天吃五顿饭的？能不胖吗？

6. （连）老人（都）能爬上这座山，你担心什么？

7. 为了找出密码，他可没少（费心）。

8. 坐飞机（吧），太贵；坐火车（吧），太慢。

9. 快去吧，去晚了（恐怕）就买不着了。

要求

① 请先独立填写答案
② 填好后同学之间可以讨论
③ 最后听录音

17 换 票

课 文

换 票

① 两个乡下人出去打工。张欢想去上海，李念想去北京。可是在等火车时，又改变了主意，因为旁边的人说，上海人精明，外地人问路都收费；北京人心眼儿好，见到吃不上饭的人，不仅给吃的，还送旧衣服。

张欢想，还是北京好，挣不到钱也饿不死，幸亏火车还没到，不然真掉进了火坑。

李念想，还是上海好，给人带路都能挣钱，还有什么不能挣钱的？我幸亏还没上车，不然真要失去挣钱的机会了。

于是他们在退票的地方相遇了。原来要去北京的李念得到了去上海的票，要去上海的张欢得到了到北京的票。

去北京的张欢发现，北京果然好。他刚到北京的一个月，什么都没干，竟然没有饿着。不仅银行里的矿泉水可以白喝，而且大商场里欢迎品尝的点心也可以白吃。

② 去上海的李念发现，上海果然是一个可以赚钱的城市。干什么都可以赚钱。带路可以赚钱，看厕所可以赚钱，弄盆凉水让人洗脸可以赚钱。只要想点儿办法，再花点儿力气，都可以赚钱。

凭着乡下人对泥土的感情和认识，李念在郊区装了十包土，把这些土卖给不见泥土而又爱花的上海人。当天他在市区和郊区之间来回六次，赚了五十元钱。一年后，李念用卖土赚来的钱，竟然在大上海开了一间小小的花店。

后来，李念又有一个新的发现：一些商店楼面干净而招牌很脏，一打听才知道是清洗公司只洗楼面不洗招牌。他立刻抓住这一机会，办起一个清洗公司，专门清洗招牌。现在，他的公司已有150多个打工者，而且他还把公司开到了杭州和南京。

前不久，李念坐火车去北京考察清洗市场。在北京车站，一个捡破烂的人把头伸进软卧车厢，向他要一只啤酒瓶，就在递瓶时，两人都愣住了，因为五年前，他们换过一次票。

（选自刘燕敏同名文章）

练 习

17-2 一、请仔细听录音，找出每组句子有什么共同的地方

第一组：① 我不仅给公司拉到了活儿，还自己挣了一笔钱。

② 他不仅喜欢打篮球，还喜欢踢足球。

③ 在学校外边租房子住，不仅能认识更多的朋友，还能了解中国人的生活。

（课文例句：北京人心眼儿好，见到吃不上饭的人，不仅给吃的，还送旧衣服。）

第二组：① 这次考试很难，幸亏我复习得好，要不然可能不及格。

② 他被车撞了，幸亏不太严重。

③ 今天的雨可真大，幸亏我带了雨伞。

（课文例句：还是北京好，挣不到钱也饿不死，幸亏火车还没到，不然真掉进了火坑。）

第三组：① 这是赠品，白送的，不要钱。

② 如果您买这个电脑，我们就白给您一个电脑包。

③ 天下没有白吃的午餐，一分努力，一分收获。

（课文例句：不仅银行里的矿泉水可以白喝，而且大商场里欢迎品尝的点心也可以白吃。）

第四组：① 张艺谋凭着他的电影得到了很多观众的喜爱。

② 他凭着聪明和努力找到了让人羡慕的工作。

③ 他凭着对科学的热爱，开了一个科学网站。

（课文例句：凭着乡下人对泥土的感情和认识，李念在郊区装了十包土，把这些土卖给不见泥土而又爱花的上海人。）

第五组：① 跟您打听一下，这附近有房子出租吗？

② 他从朋友那儿打听到，这个公司在招人。

③ 第一次见面，不要打听别人的收入、家庭和婚姻情况。

（课文例句：一些商店楼面干净而招牌很脏，一打听才知道是清洗公司只洗楼面不洗招牌。）

17-3-1 三、根据课文第一段内容，判断正误

1. 开始，张欢想去上海，李念想去北京。 （ √ ）

2. 因为听说在北京有人送吃的、送衣服，张欢改变了去北京的打算。 （ × ）

3. 李念听说去上海问路都可以收费，李念决定不去北京，去上海。 （ √ ）

4. 张欢觉得北京好，是因为在北京挣不到钱，也饿不死。 （ √ ）

5. 李念觉得上海好，是因为上海挣钱的机会多。 （ √ ）

6. 张欢和李念在退火车票的地方相遇了。 （ √ ）

7. 张欢到北京一个月什么也没干，也没饿着。　　　　　　　　（ × ）

8. 喝北京银行大厅里的矿泉水不收费。　　　　　　　　　　　（ √ ）

9. 北京大商场里的点心都可以随便吃，而且不花钱。　　　　　（ × ）

17-3-2 四、根据课文第二段内容，判断正误

1. 李念卖花盆土一天就赚了五十块钱。　　　　　　　　　　　（ √ ）

2. 一年后，李念就开始在花店打工了。　　　　　　　　　　　（ × ）

3. 后来李念在上海办起了一个小型清洗公司，专门擦洗招牌。　（ √ ）

4. 如今，李念的公司已经发展得十分不错了。　　　　　　　　（ √ ）

5. 在北京的火车站候车厅，张欢和李念又相遇了。　　　　　　（ × ）

6. 再相遇时，李念在软卧车厢里。　　　　　　　　　　　　　（ √ ）

7. 再相遇时，张欢在捡破烂。　　　　　　　　　　　　　　　（ √ ）

8. 张欢向李念要啤酒瓶时，他们互相认出了对方。　　　　　　（ √ ）

17-4 五、边听录音边填空，然后回答问题

1.（还是）北京好，挣不到钱也饿不死，（幸亏）火车还没到，（不然）真掉进了火坑。

　问："挣不到钱也饿不死"这句话是什么意思？什么是"火坑"？

2. 李念在郊区（装）了十包土，把这些土卖给不见（泥土）而又爱花的上海人。

　问：他靠什么挣到了钱？为什么说上海人"不见泥土而又爱花"？

3. 在北京车站，一个捡破烂的人把头（伸进）软卧车厢，向他要一只啤酒瓶，就在（递）瓶时，两人都愣住了，因为五年前，他们（换）过一次票。

　问：他们在哪儿见面了？他们的身份是什么？为什么愣住了？

六、根据课文内容填表

他们俩为什么在火车站改变了主意？

A. 北京　　B. 上海　　C. 挣不到钱也饿不死　　D. 干什么都能挣钱

	原来想去……	后来去了……	原因
张欢	A	B	C
李念	B	A	D

七、根据课文内容连线（有多余的选项）

张欢和李念都做过哪些事?

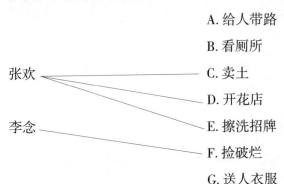

A. 给人带路

B. 看厕所

张欢　　　　　　　　　　C. 卖土

D. 开花店

李念　　　　　　　　　　E. 擦洗招牌

F. 捡破烂

G. 送人衣服

八、在合适的词语之间连线，组成正确搭配

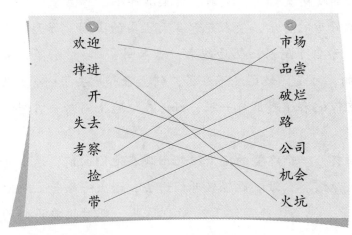

17-5 九、选词填空

| 不仅……还……　幸亏　要不然　白　凭着　打听 |

1. 他（凭着）才能和运气，当上了老板。

2. 他（不仅）参加了 HSK，（还）考得很不错呢。

3. （幸亏）他提醒我，我才想起来。

4. 管理人员也不能（白）吃（白）喝呀，谁都得付钱。

5. 不少同事都没来上班，一（打听）才知道，他们都换工作了。

6. 他（凭着）丰富的经验和能力，得到了这个工作。

7. 这事跟你没关系，你别（打听）了。

8. 汽车太多，（不仅）常常堵车，（还）造成了污染。

9. 老板决不会（白）给你一分钱。

10. 下周就考试? 幸亏你告诉我，（要不然）我肯定考不好。

11. 那天去购物，忘了带钱，（幸亏）遇见我的朋友了。

要求

① 请先独立填写答案
② 填好后同学之间可以讨论
③ 最后听录音

18 离婚餐厅

课　文

离婚餐厅

　　朋友开了家餐厅，叫"离婚餐厅"，是专门为"和平离婚"的人提供方便的。目的是让他们在这里友好地吃完最后一顿，然后友好地说一声"再见"。

　　正好，我们公司的一对夫妻闹僵了，说是也要到"离婚餐厅"吃上最后一顿，然后分手。可我绝对不希望他们分手，就和我的朋友商量好了，提前在这里准备下了"温馨"。

　　在他俩订好的那个小房间里正播放着好听的音乐，使人想起春天温柔的小雨。那天，他俩点好菜后，我的朋友按我设计的方案，亲自下厨房，然后端来一盘名叫"怀念"的菜，并告诉他们："这个菜，是妻子亲手教给我的，可是，她已经不在了，到上帝那儿去了……"果然，听到这句话，那对想要离婚的夫妻吃惊地看了我朋友一眼，好像在他脸上写着一首叫做"遗憾"的诗。

　　当这对想要离婚的一男一女正举起酒杯，一个漂亮的小女孩儿出现在他们面前，这小女孩儿是我妹妹的女儿，当然我也告诉了她应该怎么做。她轻轻开门进去，送上一束花，对他们说："这是我爸爸妈妈最喜欢的花，可是，他们已经离婚了。"听到这儿，那对快要离婚的夫妻感到深深的震惊，然后陷入沉思，陷入对过去的回忆……

　　这时，我通过电视，播出一首爱情歌曲。听着听着，奇迹出现了，那对想要离婚的男女流着眼泪站了起来，深情地看着对方。男人说："咱们为什么要离婚呢？为了这歌，为了这菜，为了这温馨的小屋，我们应该永远在一起！"

　　这时，我突然出现，对他们说："你们本来就是最好的一对。"

　　后来，那本来闹得挺厉害的一对还专门谢过我呢。

练　习

🎧 18-2 一、请仔细听录音，找出每组句子有什么共同的地方

　　第一组：①这本书是专门写给小学生看的，非常容易。

　　　　　　②你不用专门来看我。

　　　　　　③为了参加这个会议，我专门买了一件西服。

　　　　　　（课文例句：朋友开了家餐厅，叫"离婚餐厅"，是专门为"和平离婚"的人提供方便的。）

第二组：① 北京的画展很多，这给我提供了不少机会。

② 公司为大家提供住宿和电脑。

③ 牛羊为人类提供了肉和奶。

（课文例句："离婚餐厅"是专门为"和平离婚"的人提供方便的。）

第三组：① 他们谈了五年恋爱，可是最近却分手了。

② 大家都在猜他们分手的原因。

③ 我们大学毕业就分手了，后来再也没见过面。

（课文例句：我绝对不希望他们分手。）

第四组：① 我们商量好了，一放假就去旅行。

② 这件事已经办好了，你放心吧。

③ 她做好了一桌菜在等我们呢。

（课文例句：我和我的朋友商量好了，提前在这里准备下了"温馨"。）

第五组：① 两个人谈着谈着就找不到恋爱的感觉了，于是平静地分手了。

② 很多观众看着看着，忍不住流下了眼泪。

③ 孩子听着听着就睡着了。

（课文例句：我通过电视，播出一首爱情歌曲。听着听着，奇迹出现了，那对想要离婚的男女流着眼泪站了起来，深情地看着对方。）

18-3 二、听全文，在括号中正确的选项后画 √

1. 除了"我"以外，这个故事还有（三　　四 √　　五　）个人物。

2. "离婚餐厅"是（我朋友 √　　我　）开的。

3. 这些活动都是（我 √　　我朋友　）设计的。

4. 那对夫妻最后（没离婚 √　　分手了　）。

18-3
18-4 **三、根据课文内容，选择正确答案**

1. 关于"离婚餐厅"，以下哪句话正确？（　D　）

A. 朋友离婚后开了家"离婚餐厅"

B. 想离婚的人可以到这儿办手续

C. 离婚餐厅分手很方便

D. 离婚的人能在这儿友好地分手

2. "我"为什么不希望单位的那一对分手？（　B　）

A. 因为他们两个都喜欢小孩儿　　　　　　B. "我"认为他们有可能不分手

C. 因为他们两个都喜欢音乐　　　　　　　D. 因为离婚餐厅的气氛很温馨

3. 关于"怀念"这道菜，以下哪句话不对？（ B ）

　　A. 朋友给那对夫妇讲了菜的故事　　　B. 朋友端上菜后作了一首诗

　　C. 菜不是由小姑娘端上去的　　　　　D. 和这道菜有关的事都是"我"安排的

4. 关于小女孩儿献花，以下哪句话不对？（ D ）

　　A. 是为了打动他们的心　　　　　　　B. 小女孩儿是"我"的亲戚

　　C. 小女孩儿怎么做全是"我"教的　　　D. 小女孩儿给女的献上了一束花

5. 这对夫妇决定不离婚后过得怎么样？（ A ）

　　A. 很愉快　　　　　　　　　　　　　B. 继续打架

　　C. 后悔了　　　　　　　　　　　　　D. 平淡无味

18-3 四、根据课文内容填表

"我"为那对夫妻安排了三个节目，他们有什么反应？这些节目是谁做的？

谁做的：A. 我　B. 我朋友　C 小女孩

做了什么：D. 送一束花　E. 端一盘叫"怀念"的菜　F. 播放爱情歌曲

他们的反应：G. 吃惊　H. 陷入震惊、沉思和回忆　I. 流泪

	谁做的	做了什么	他们的反应
第一个节目	B	E	G
第二个节目	C	D	H
第三个节目	A	F	I

五、下面这些话是谁说的？请填空（有多余的选项）

　　A. 我　　B. 我朋友　　C. 小女孩　　D. 要离婚的丈夫　　E. 要离婚的妻子

（ B ）"这个菜，是妻子亲手教给我的，可是，她已经不在了，到上帝那儿去了……"

（ C ）"这是我爸爸妈妈最喜欢的花，可是，他们已经离婚了。"

（ D ）"咱们为什么要离婚呢？为了这歌，为了这菜，为了这温馨的小屋，我们应该永远在一起！"

（ A ）"你们本来就是最好的一对。"

18-5 六、边听录音边填空，然后回答问题

1. "离婚餐厅"是（专门）为"和平离婚"的人提供（方便）的。（目的）是让他们在这里（友好）地吃完最后一顿，然后（友好）地说一声"再见"。

　　问：开"离婚餐厅"的目的是什么？什么是"和平离婚"？除了"和平离婚"，还有什么方式的离婚？

2. 可我（绝对）不希望他们分手，就和我的朋友商量好了，（提前）在这里准备下了"温馨"。

　　问："温馨"指的是什么？"我"为什么这么做？

3. 他俩（点）好菜后，我的朋友按我设计的方案，亲自（下厨房），然后（端来）一盘名叫"怀念"的菜。

　　问：你填写的动词都跟吃饭或做饭有关，你还能再说说跟吃饭有关的其他词语吗？

18-6 七、选词填空

| 专门　　提供　　分手　　亲手　　好了　　V着V着 |

1. 父母离开家乡，（专门）给孩子陪读。

2.（走着走着），雨就下大了。

3. 我已经准备（好了），下周参加运动会。

4. 妻子已经跟他（分手）了，现在他们都是自由人。

5. 这是一本（专门）研究数学的书。

6. 我早就想（好了），要开一个晚会欢迎他回来。

7. 感谢学校给我们（提供）了这么好的学习条件。

8. 我（专门）请假来参加你的毕业典礼。

9. 他（玩儿着玩儿着），就对电脑游戏着了迷。

10. 会议为大家免费（提供）食物和饮料。

11. 过年的时候，我都会（亲手）给朋友做贺卡。

要求
① 请先独立填写答案
② 填好后同学之间可以讨论
③ 最后听录音

19 误会

课　文

误　会

刘凯心里有了仇恨感，他来到这个城市三年了，四次失业，三次打工拿不到工资，还有两次挨了打。

刘凯现在做的这份工作是给一家广告公司挂横幅，每月的工资很少，这些钱只够他吃饭。他需要钱。每次看到老板从客户手里接过钱放进抽屉时，他的心就一个劲儿地跳。

这是一个非常危险的信号！他已经不能控制自己了！

但刘凯毕竟是一个善良的人，他在罪恶和善良之间挣扎，非常痛苦。现在，只要有一个小小的念头，就可以把他送上完全不同的道路。

这一天，他又看到老板把一大笔钱放进抽屉，当老板看到他时，对他大声喊道："看什么看？还不去干活！"一个罪恶的念头突然产生了。他想让这胖胖的城里人受到惩罚。他准备今天晚上动手。

刘凯拿着横幅走出公司，他要继续干活，他要让胖老板看不出他有一点儿变化。

横幅需要挂在一栋高楼上，高楼有十层，他必须在天黑之前全部挂好。

不知什么时候，突然有人走上楼顶，那是一个中年男人，非常和蔼。

他说："兄弟，你有什么想不开的？"

在城里，从来没有人叫过他"兄弟"。

刘凯呆在那里。

中年人说："你有什么困难，看我能不能帮助你。"

刘凯更加奇怪了。

中年人说："人这一生不容易，不能寻短见呀，你的父母会很伤心……"

刘凯忽然觉得中年人完全误会他了。他回过头来，吃惊地发现楼下站满了人。

中年人伸出手，眼里充满了爱，说："兄弟，你过来。"

刘凯突然流泪了。他说："我不是要寻短见，我是在挂广告横幅。"

中年人吃了一惊，但马上笑了……

刘凯被中年人带下楼的时候，他一直在流泪，他想给家里人打个电话。他想告诉家人，他在城里很好。

（选自流沙同名文章）

练 习

19-2 一、请仔细听录音，找出每组句子有什么共同的地方

第一组：① 物价一个劲儿往上涨，可工资却没怎么涨。

② 记者采访他时，他一个劲儿地说："对不起，我不清楚。"

③ 他一个劲儿地问："咱们什么时候去呀？"

（课文例句：每次看到老板从客户手里接过钱放进抽屉时，他的心就一个劲儿地跳。）

第二组：① 你应该学会控制自己的情绪，不能老发脾气。

② 中国实行计划生育政策，控制人口过快增长。

③ 控制饮食，经常运动，能起到减肥的作用。

（课文例句：这是一个非常危险的信号！他已经不能控制自己了！）

第三组：① 看什么看？快去干活！

② 好什么好？我觉得一点儿意思都没有。

③ 吃什么吃？饭菜都被他们吃光了。

（课文例句：看什么看？还不去干活！）

第四组：① 这么点儿事，有什么想不开的。

② 虽然失业了，你也别太想不开，大家一起帮你再找个好工作。

③ 他非常坚强，怎么会因为想不开而自杀呢？

（课文例句：兄弟，你有什么想不开的？）

第五组：① 他们因为误会而分手，太可惜了。

② 生活习惯不一样，也会产生误会。

③ 您别误会，我不是那个意思。

（课文例句：刘凯忽然觉得中年人完全误会他了。）

19-3 二、听全文，在括号中正确的选项后画 √

1. 刘凯是（打工的 √　　老板　）。

2.（中年人 √　　刘凯　）误会了（中年人　　刘凯 √）。

3. 刘凯在（偷钱　　挂横幅 √）的时候遇到了中年人。

4. 中年人以为刘凯要（挂横幅　　自杀 √　　偷钱　）。

19-3
19-4 **三、根据课文内容，选择正确答案**

1. 关于刘凯，下面那句话不对？（ D ）

 A. 是农村来的 B. 恨城里人

 C. 是善良的人 D. 是小偷

2. "他准备今天晚上动手。""动手"是什么意思？（ A ）

 A. 偷钱 B. 挂横幅

 C. 寻短见 D. 回老家

3. 关于刘凯的工作，下面哪句话不对？（ D ）

 A. 老板对他不好 B. 工资很低

 C. 要挂广告横幅 D. 要写广告

4. 中年人为什么误会了刘凯？（ A ）

 A. 他站在楼顶 B. 他恨城里人

 C. 他拿着横幅 D. 他在流泪

19-5 **四、边听录音边填空，然后回答问题**

1. 每次看到老板从（客户）手里接过钱放进抽屉时，他的心就一个劲儿地跳。

 问：他的心为什么一个劲儿地跳？他想干什么？

2. 但刘凯（毕竟）是一个善良的人，他在罪恶和善良（之间）挣扎，非常痛苦。

 问：刘凯为什么痛苦？

3. 只要有一个小小的（念头），就可以把他（送上）完全不同的道路。

 问："完全不同的道路"指的是什么？

五、刘凯对中年人说的话有什么反应？请选择填空

 A. 更加奇怪了   B. 呆在那里   C. 突然流泪了   D. 觉得中年人误会他了

1. "兄弟，你有什么想不开的？"

 刘凯（ B ）。

2. "你有什么困难，看我能不能帮助你。"

 刘凯（ A ）。

3. "人这一生不容易，不能寻短见呀，你的父母会很伤心……"

 刘凯（ D ）。

4. "兄弟，你过来。"

 刘凯（ C ）。他说："我不是要寻短见，我是在挂广告横幅。"

六、在画线词语和它们的意思之间连线

1. 他已经不能控制自己了！   处罚
2. 一个罪恶的念头突然产生了。   自杀
3. 他想让这胖胖的城里人受到惩罚。   把不好的事看得很重
4. 你有什么想不开的？   掌握住
5. 人这一生不容易，不能寻短见呀。   想法

19-6 七、选词填空

| 误会 | 一个劲儿 | 控制 | 想不开 | 买什么买 |

1. 这个机器完全由电脑（控制），不需要工人。
2. 他的话引起了别人的（误会），他赶紧解释。
3. 他只是一时（想不开），过几天就好了。
4. 他高兴得说不出话来，只是（一个劲儿）地笑着点头。
5.（买什么买）？这么贵，质量还不好。
6. 他们消除了（误会），又和好了。
7. 你别想（控制）我的生活，咱们俩已经分手了。
8. 我也劝过别人要想开一点儿，可是自己遇到事就（想不开）。
9. 别（一个劲儿）地催我，我马上就好了。
10. 说我们只有在植树节才种树，那真是天大的（误会）。

要求
① 请先独立填写答案
② 填好后同学之间可以讨论
③ 最后听录音

怎么处理淘汰电脑

课　文

怎么处理淘汰电脑

琳琳：哎，老马，买了台新电脑，啊，真漂亮。你那台旧的呀，是该淘汰了。

老马：我正发愁怎么处理我那台旧的呢，放在家里既用不着，又占地方。琳琳，你不是也买了台新的吗？原来那台怎么处理的？

琳琳：我卖到旧货市场去了。买的时候好几千，才过两年，只卖了几百块，我心疼了半天呢。不过后来一想，只要还能用，不管谁用，就不算浪费。哎，你没去旧货市场看看？

老马：怎么没去呀？你那台电脑虽然也是旧的，但还不太过时，我这台都用了五六年了，人家根本就不收，说就是收了也卖不出去，没钱赚的买卖谁做呀？

琳琳：要是捐献给贫困地区的孩子们呢，他们不会嫌电脑太旧吧？

老马：这个办法也行不通，你想啊，我这台老电脑，什么新软件都用不了，把那些过时软件交给孩子们，他们还是不能掌握新知识呀。

琳琳：你说的有道理。那就把它当垃圾扔了吧。

老马：这可万万不行，一台电脑里有700多种化学物质，很多都是有毒的，当垃圾扔了会造成污染。

琳琳：天哪，没想到电脑新的时候是个宝贝，一没用了，就变成不好处理的垃圾了。

老马：是啊，最好的办法就是电脑生产厂家对旧电脑回收利用。电脑里的塑料什么的，肯定可以再利用。

琳琳：这个办法好，中国现在有这样的厂家吗？

老马：我还没听说，要是有，我就不用为这台旧电脑发愁了。

琳琳：现在电脑的更新速度太快，我的一个朋友三年里都换了两台了，他也发愁怎么处理旧电脑呢。

老马：这还是个世界性的问题呢。昨天我看到一个报道说，美国被淘汰的电脑中也只有10%左右得到了回收利用。今后十年估计有15亿台电脑被淘汰，想想看，全世界得有多少台旧电脑啊？

琳琳：哎！我倒是觉得这里面有很大的机会。要是我能发现一种能回收利用旧电脑的方法，那我不就要赚大钱了吗？

老马：好啊，你今天就把这台旧电脑搬走吧，算我对你赚大钱的一点儿贡献。

琳琳：先别着急，在我发现这个办法以前，你的旧电脑还是先存在你家里吧。

练 习

20-2 **一、请仔细听录音，找出每组句子有什么共同的地方**

第一组：① 快毕业了，可工作还没找到，真发愁呀。

② 现在，大多数中国人都不用为吃穿发愁了。

③ 孩子的学习很让他发愁。

（课文例句：我正发愁怎么处理我那台旧的呢。）

第二组：① 我换新手机了，这个旧的怎么处理呀？

② 我有一些重要的事要处理，咱们回头再约时间吧。

③ 这个问题很难处理，得多想想办法。

（课文例句：你不是也买了台新的吗？原来那台怎么处理的？）

第三组：① 别心疼钱了，该花就得花！

② 妈妈心疼女儿，每天都让她多睡一会儿再叫她起床。

③ 看着他们这么浪费水，我真心疼。

（课文例句：买的时候好几千，才过两年，只卖了几百块，我心疼了半天呢。）

第四组：① 工资高的工作他嫌累，清闲的工作他又嫌工资低。

② 你给多少都可以，50块钱不嫌少，100块钱不嫌多。

③ 孩子嫌妈妈啰唆，妈妈嫌孩子不认真。

（课文例句：要是捐献给贫困地区的孩子们呢，他们不会嫌电脑太旧吧？）

第五组：① 光吃肉、不吃饭的减肥方法肯定行不通。

② 这个理论不错，但在生活中行不通。

③ 你的建议很好，但是不一定行得通。

（课文例句：这个办法也行不通。）

20-3 **二、听全文，选择课文的主要内容是什么，在括号里画√（可以多选）**

1. 怎么买电脑。 （　　）

2. 怎么用电脑。 （　　）

3. 怎么处理淘汰电脑。 （　√　）

4. 淘汰电脑应该回收。 （　√　）

5. 旧电脑可以卖掉。 （　√　）

6. 电脑的价格。 （　　）

20-3 三、听全文，在括号中正确的选项后画 √

1.（老马 √　　琳琳　　）正在为怎么处理旧电脑发愁。

2.琳琳的旧电脑（卖了 √　　扔了　　给人了　　）。

3.旧货市场不收老马的电脑，是因为（太旧了 √　　坏了　　）。

4.老马认为，把旧电脑捐给贫困地区的孩子（可以　　不行 √）。

5.处理旧电脑的最好办法是（收回利用 √　　当成垃圾　　送给穷人　　）。

6.美国被淘汰的电脑中有（一半　　10% √）得到了回收利用。

7.（今年一年　　未来十年 √）全世界一共淘汰 15 亿台旧电脑。

8.电脑里的化学物质（全都　　很多 √）有毒。

9.电脑回收是（中国　　全世界 √）的问题。

10.琳琳（发明了　　没有发明 √）回收电脑的方法。

20-3
20-4 四、根据课文内容，选择正确答案（可以多选）

1.琳琳的电脑卖到旧货市场，她为什么心疼？（　A　）

　　A.卖得太便宜　　　　　　　　　B.卖得太贵

　　C.觉得太浪费　　　　　　　　　D.觉得应该送人

2.旧货市场不收什么样的旧电脑？（　B、C　）

　　A.还能用的　　　　　　　　　　B.不能再用的

　　C.不能赚钱的　　　　　　　　　D.没有污染的

3.为什么不能把旧电脑捐给贫困地区的孩子？（　C　）

　　A.孩子们不用电脑　　　　　　　B.他们有新电脑

　　C.旧电脑用不了新软件　　　　　D.路途远太麻烦了

4.为什么不能把旧电脑当作垃圾扔了？（　A、C　）

　　A.会污染环境　　　　　　　　　B.厂家要回收利用

　　C.里边的塑料还可以用　　　　　D.没地方扔

五、根据课文内容填表

老马和琳琳是怎么处理旧电脑的？什么是好的方法

A.卖到旧货市场　　B.捐给贫困地区　　C.当垃圾扔掉　　D.放在家　　E.厂家回收利用

老马淘汰的电脑	D
琳琳淘汰的电脑	A
不好的方法	B、C
好的方法	E

20-5 六、边听录音边填空，然后回答问题

1.（不过）后来一想，只要还能用，（不管）谁用，就（不算）浪费。

　　问：你刚才填的三个词是什么意思？请选择合适的填在下面的句子里。

　　　　（不管）你去不去，都得告诉我。

　　　　我上星期感冒了，（不过）很快就好了。

　　　　你的工资（不算）低，我还不如你呢。

2.（就是）收了也卖不出去，没钱（赚）的买卖谁做呀？

　　问：旧货市场为什么不收老马的电脑？

3.想想看，全世界（得）有多少台旧电脑啊？

　　问：这是一个问题吗？你能回答吗？这句话是什么意思？

20-6 七、选词填空

| 发愁　　处理　　心疼　　嫌　　行不通/行得通 |

1.垃圾分类在这儿（行得通）吗？

2.退休了，再也不用为工作的事（发愁）了。

3.A：你怎么搬家了？

　　B：我（嫌）房租太贵，换了个小房子。

4.他们不了解我们的需要，所以他们出的主意都（行不通）。

5.怎么（处理）城市垃圾是一个难题。

6.爱人半夜醒来，见他还在看书，（心疼）地把灯关了。

7.出了交通事故，如果自己（处理）不了，就要找警察。

8.他瘦了一大圈，大家看了，都很（心疼）。

9.他（嫌）吵，每天睡觉都把窗户关得紧紧的。

10.别（发愁）了，赶快想办法吧。

要求
① 请先独立填写答案
② 填好后同学之间可以讨论
③ 最后听录音

21

在路上

课　文

在路上

① 男生：老师，我带来一段录音，我想请大家听一听，这段录音是从哪儿录来的。

老师：行。大家准备好，开始听录音。

广播：365路汽车开往新世界购物中心，请您从前门刷卡上车，没卡的乘客请买票。下一站，中山公园，请您从后门刷卡下车。

女生：我知道，是公共汽车上的，因为一开始就说365路汽车，一定是公共汽车上的广播。

男生：后面说的是什么？

女生：每次坐车都听，都没太听清楚，因为上车、下车、刷卡，跟着别人就行了。

② 女生：我也有一段录音，也请大家听一听，好吗？

老师：没问题。

广播：各位乘客，欢迎您乘坐地铁4号线。下一站动物园。动物园站是换乘车站，有换乘6号线和11号线的乘客，请您准备下车。

男生：是地铁的广播吧？

女生：没错，就是地铁的广播。

男生：广播里还说，动物园是"换车车站"，对吗？

女生：不是"换车"，是"换乘"。

男生：录音里好像还说了好多"什么乘"。

女生："乘客"、"乘坐"、"换乘"。

男生：这个"乘"是什么意思呀？

老师："乘"的意思就是"坐"。

男生：是"坐车"的"坐"吗？

老师：对呀。

③ 老师：我也有一段录音，请大家听一听。

广播：列车运行前方是丰台车站，有下车的旅客请提前做好准备。列车在本站停车3分钟。

男生：列车？3分钟？是地铁吗？

女生：我觉得不像，地铁不说"旅客"。

男生：对，地铁说"乘客"。"在本站停车3分钟"，应该是火车吧？

老师：说得不错，这是火车上的广播。我这儿还有一段录音，大家试试，第一遍听完了，
　　　能不能回答下面两个问题：第一，车是开到哪儿去的？第二，车现在是没开还是
　　　快要到站了？

广播：旅客们，10 点 23 分开往北京方向的 Z30 次列车现在开始检票，有去往北京方向
　　　的旅客请到二楼第 5 检票口检票上车。

男生：开到北京的。

女生：广播里说"去北京的旅客到二楼上车"，我觉得车还没开，快要开了。

练　习

21-2 **一、请仔细听录音，找出每组句子有什么共同的地方**

第一组：① 我们这儿是电脑维修中心。

　　　　② 他在疾病控制中心工作。

　　　　③ 那个购物中心挺大的，东西特别全，什么都有。

　　　　（课文例句：365 路汽车开往新世界购物中心。）

第二组：① 现在，刷卡消费的人越来越多。

　　　　② 图书馆也都改成用卡了，刷卡借书，刷卡还书，又方便又快捷。

　　　　③ A：你的卡刷了吗？

　　　　　 B：我的卡刷不上。

　　　　（课文例句：请您从前门刷卡上车。）

第三组：① 第一次乘船出海的时候，他晕得够呛。

　　　　② 那次，我们乘坐的是国际列车。

　　　　③ 那次去南迦巴瓦峰，我们先是坐旅游车，然后改乘汽艇，最后还得换乘当地的面包车。

　　　　（课文例句：动物园站是换乘车站。）

第四组：① 我去买一本最新的《全国铁路列车时刻表》。

　　　　② 高速列车具有汽车和飞机不能相比的优点。

　　　　③ 这种新型列车近日将开始服务于北京地铁 2 号线。

　　　　（课文例句：列车运行前方是丰台车站。）

第五组：① 本套书分上下两册，共 24 章。

　　　　② 本届运动会圆满结束。

　　　　③ D32 次列车马上就要开车了，本次列车开往上海方向。

　　　　（课文例句：列车在本站停车 3 分钟。）

21-3 二、听全文，选择录音包括哪些地方的广播，在括号里画√（可以多选）

1. 飞机场 （　　）
2. 公共汽车 （　√　）
3. 火车站 （　√　）
4. 地铁 （　√　）

21-3-1 三、根据课文第一段内容，判断正误

1. 下一站是中山公园。 （　√　）
2. 下一站是新世界购物中心。 （　×　）
3. 乘客应该从前门上车。 （　√　）
4. 乘客应该在后门买票。 （　×　）

21-4 四、边听录音边填空，然后回答问题

1. 365 路汽车（开往）新世界购物中心，请您从前门刷卡上车，（没卡）的乘客请买票。

问：汽车的终点站是哪里？乘客应该从哪个门上车？上车的时候先做什么？没卡的乘客怎么办？

2. 下一站，中山公园，请您从（后门）刷卡（下车）。

问：下一站是哪里？应该从哪个门下车？下车还需要刷卡吗？

21-3-2 五、根据课文第二段内容，判断正误

1. 这是地铁 6 号线的广播。 （　×　）
2. 这是地铁 4 号线的广播。 （　√　）
3. 在动物园可以倒地铁 6 号线或者 11 号线。 （　√　）
4. 下一站是动物园。 （　√　）

六、在词语和它们的意思之间连线，然后用这些词语填空（有的词可以使用多次）

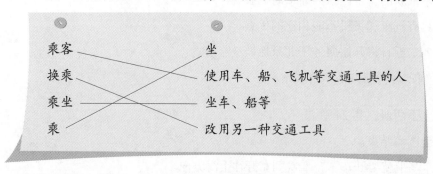

1. 各位（乘客）您好，Z12 次列车马上就要开车了。

2. 下一站是经济学院。经济学院是（换乘）车站，有（换乘）2 号线的（乘客），请您准备下车。

3. 欢迎您（乘坐）28 路公共汽车。

4. 去青岛可以（乘）船，也可以坐火车。

21-3-3
21-5
七、根据课文第三段内容，选择正确答案

1. 坐火车的人可以称呼作什么？（　D　）

    A. 游客　　　　　　　　　　B. 乘客

    C. 远客　　　　　　　　　　D. 旅客

2. 坐地铁的人可以称呼作什么？（　B　）

    A. 游客　　　　　　　　　　B. 乘客

    C. 远客　　　　　　　　　　D. 旅客

3. 在哪里可以听到第二段广播？（　D　）

    A. 二楼　　　　　　　　　　B. 火车上

    C. 北京　　　　　　　　　　D. 候车室

21-6 **八、边听录音边填空，然后回答问题**

旅客们，（10 点 23 分）开往北京方向的（Z30 次）列车现在开始检票。有去往北京方向的旅客，请到（二）楼第（5）检票口检票上车。

问：火车几点开？火车开往哪里？旅客在哪里上车？

21-7 **九、选词填空**

| 中心　　刷卡　　乘　　列车　　本 |

1. 这里是城市的商业活动（中心）。

2. 您是交现金还是（刷卡）？

3. 新型（列车）的设计将更加舒适，更加合理。

4. 我们（乘）坐热气球，在空中足足飞行了一个多小时。

5.（本）合同自签订之日起生效。

6. 8603 次（列车）是这条线上唯一的慢车。

7. 如今，（刷卡）消费已经普及到生活的方方面面。

8. 他经常到国家乒乓球训练（中心）去打球。

9.（本）书共有八章，300 多页。

10. 这里是换（乘）车站，有换（乘）3 号线的乘客，请您准备下车。

要求
① 请先独立填写答案
② 填好后同学之间可以讨论
③ 最后听录音

22 分寸

课　文

分　寸

女：最近我看到一篇日本留学生写的作文，题目是《我看中国朋友》，文章说来中国以前就听说过，中国人大方、热情、好客。一次她生病了，也利用这个机会了解了中国人的热情。那是夏天，她得了感冒，挺厉害的，她的中国朋友看到她难受的样子，带上衣服就搬到她宿舍来住了，而她的宿舍又没有多余的床，中国朋友就直接睡在地上，为她送水、送饭、送药，照顾得非常周到。所以，日本学生得出结论，说中国人和日本人的想法真的是有区别的。日本人是这样想的：如果朋友病了，不应该去打扰她，应该让她好好休息，她想吃什么，需要什么，是朋友都要热情帮助；而作为病人呢，别人来自己的房间住也会觉得不安，因为怕自己把病传染给别人，如果是那样就更不好意思了。

男：听你讲完这事呀，我认为那位日本留学生的中国朋友的做法不能代表中国人，也不能代表中国人的热情。作为中国人，我认为那位中国学生的做法不太合适，我倒觉得日本人的想法比较好。因为跟别人在一起，做任何一件事，最重要的就是大家都觉得舒服，不能自己想怎么着就怎么着，不管别人愿意不愿意。热情当然是对的，但这么做事多少有点儿不讲分寸。

女：你这话我同意，做事是得讲分寸。不能一片好心，最后把人给弄烦了。比如在餐桌上劝酒、给别人夹菜，可能都有点儿不合适。

男：说得对，礼貌是需要的，礼貌一下，然后让别人自便最好。其实说话也是要讲分寸的。

女：比如说——？

男：比如说同样是批评学生，老师和家长就不一样，家长急了想说什么就说什么，老师就不行。有的话能说，有的话不能说，要是掌握不好分寸，伤害了孩子，不光是孩子不高兴，连家长也可能不愿意。

女：有道理，看来做事、说话都不容易，要动动脑子。

男：其实说来说去呀，分寸的意思就是，说话做事要掌握一个合适的度，多考虑考虑对方的感觉，你这么做对方是不是也愉快。

练 习

22-2 一、请仔细听录音，找出每组句子有什么共同的地方

第一组：① 我的宿舍里有一张多余的床，你可以过来住。

② 我在这里一切都很顺利，看来我的担心是多余的。

③ 谁有多余的笔，我忘了带笔了。

（课文例句：她的宿舍又没有多余的床，中国朋友就直接睡在地上。）

第二组：① 很多传染病都是由动物传染给人的。

② 我感冒了，大家离我远点儿，别传染给你们。

③ 快乐也是能传染的。

（课文例句：作为病人呢，别人来自己的房间住也会觉得不安，因为怕自己把病传染给别人。）

第三组：① 我代表学校欢迎各位同学！

② 玫瑰花代表爱情。

③ 有一首好听的歌叫《月亮代表我的心》。

（课文例句：我认为那位日本留学生的中国朋友的做法不能代表中国人，也不能代表中国人的热情。）

第四组：① 他没能参加比赛，多少有点儿遗憾。

② 我怕他误会我，多少有点儿担心。

③ 虽然他没有批评我，但多少有点儿不满意。

（热情当然是对的，但这么做事多少有点儿不讲分寸。）

第五组：① 老师告诉刚上小学的孩子们要讲文明、讲礼貌。

② 一定要养成讲卫生的习惯，这样才不会得传染病。

③ 做事要讲分寸，要不然别人会不高兴。

（课文例句：做事是得讲分寸。）

22-3 二、听全文，在括号中正确的选项后画 √

1.（对话中的女的　　一个日本留学生 √）得了感冒。

2. 朋友搬到她的宿舍照顾她，她（很感谢　　觉得不安 √）。

3. 跟朋友吃饭时，（也要 √　　不用　）讲分寸。

4.（父母　　老师 √）批评孩子时更应该注意分寸。

22-3 三、根据课文内容，判断正误

1. 日本留学生认为中国人比日本人热情。 （ × ）

2. 日本留学生得到中国朋友的帮助，很感激她。 （ × ）

3. 日本留学生担心把感冒传染给中国朋友。 （ √ ）

4. 这个中国朋友的做法代表了中国人的热情。 （ × ）

5. 这个中国朋友的做法有点儿没分寸。 （ √ ）

6. 在餐桌上也要讲分寸。 （ √ ）

7. 一个劲儿劝人喝酒是没分寸的。 （ √ ）

8. 在餐桌上不给别人夹菜是不礼貌的。 （ × ）

9. 老师批评学生，学生和家长都不高兴。 （ × ）

10. 过分热情也是没分寸的表现。 （ √ ）

11. 讲分寸就是说话做事要让双方都愉快。 （ √ ）

22-3 22-4 四、根据课文内容，选择正确答案

1. 如果朋友生病了，日本人会怎么做? （ C ）

 A. 搬到他的房间去照顾他 B. 给他送水、送饭、送药

 C. 不去打扰他，让他好好休息 D. 带他去医院

2. 男的认为日本留学生的中国朋友做得怎么样? （ A ）

 A. 没有分寸 B. 很热情

 C. 不够热情 D. 让人烦

3. 在餐桌上的什么行为是欠分寸的做法? （ B ）

 A. 自己夹菜 B. 使劲让酒

 C. 争着付钱 D. 为别人点菜

4. 关于批评学生，下列哪句话是对的? （ D ）

 A. 老师怎么批评都行 B. 老师说什么都不行

 C. 老师可以不讲分寸 D. 老师的话不能超出范围

5. 关于分寸的解释，下面哪句话是对的? （ D ）

 A. 分寸就是容忍对方的缺点 B. 分寸就是说话做事让对方满意

 C. 分寸就是理解对方 D. 分寸就是说话做事掌握适当的度

五、下面哪些是讲分寸的做法，哪些不是（在你认为是的做法后画√，不是的做法后画画×）

1. 朋友感冒了，马上搬过去跟他一起住。　　　　　　（ × ）

2. 朋友感冒了，问他需要帮什么忙。　　　　　　　　（ √ ）

3. 用自己的筷子给别人夹菜。　　　　　　　　　　　（ × ）

4. 饭桌上对朋友说："多吃点儿！千万别客气。"　　　（ √ ）

5. 老师对学生说："你怎么这么笨！"　　　　　　　　（ × ）

22-5 六、边听录音边填空

1. 她的中国朋友看到她（难受）的样子，带上衣服就（搬）到她宿舍来住了，而她的宿舍又没有（多余）的床，中国朋友就直接睡在地上，为她送水、送饭、送药，照顾得非常（周到）。

2. 那位日本留学生的中国朋友的做法不能（代表）中国人，也不能（代表）中国人的热情。

3. 不能自己想怎么着就怎么着，（不管）别人愿意不愿意。

4. 在餐桌上（劝酒），给别人夹菜，可能都有点不合适。

5. 要是掌握不好分寸，（伤害）了孩子，不光是孩子不高兴，（连）家长也可能不愿意。

6. 分寸的意思就是，说话做事要掌握一个（合适）的度。

22-6 七、选词填空

| 多余　　代表　　多少有点儿　　讲　　传染 |

1. 不（讲）卫生，容易得传染病。

2. 孩子就要出国了，父母（多少有点儿）不放心。

3. 买了手机和电脑后，我已经没有（多余）的钱了。

4. 吃饭时给别人夹菜是客气还是不（讲）分寸？

5. 我的手机有闹钟功能，再买个闹钟，不就（多余）了吗？

6. 在网络语言中，"88"（代表）"bye-bye"，也就是再见。

7. 总是他请我吃饭，我（多少有点儿）不好意思。

8. 你怎么不（讲）道理啊？红灯亮了还过马路！

9. 你可以批评他，但是要（讲）分寸，不能太过分。

10. 这种病只是动物才会得，不会（传染）给人。

要求
① 请先独立填写答案
② 填好后同学之间可以讨论
③ 最后听录音

在当当网买书

课　文

在当当网买书

① 男：我发现在中国买东西，很多地方都可以还价，但是买书不行。

女：你可以试试上网买书啊，比书店便宜多了。我常去的网上书店叫当当网。

男：你每次都在网上书店买书吗？

女：我先到书店看看有什么好书，记下书名，然后再去网上书店买，这样就能买到又便宜又好的书了。一般来说，书店不打折，而网上书店都打折，有时可以打五折、六折，甚至更低，最贵的也可以打到八折。

男：我想买关于中国历史的书，应该怎么买？

女：咱们一起上网看看吧，网址是 www.dangdang.com，这个网站还卖别的东西，你先找到图书，然后点击，可以看到图书的分类。

男：嗯，有小说、儿童、生活、教育，唉，工具书是什么？

女：工具书就是字典什么的，是学习的工具。你看，历史在这儿，你点击一下。

男：哦，这儿说历史书有一万三千六百二十七种呢，真不少。

② 男：可是如果我不知道书名，只想了解一下有什么好书，怎么办？

女：你看，这里有最新上架，架就是书架，最新上架就是新书。这儿还有畅销榜，就是买的人最多的书。这是最近一个星期的畅销榜，还有最近两个、三个星期的畅销榜。

男：什么是五星书？我知道五星饭店，五星书是不是最好的书？

女：对，这是根据读者的评价得出来的，如果你觉得这本书非常好，就可以给它五星。如果你愿意，也可以看看读者是怎么评价的。有时候，我不去书店，直接上网买书，就是根据读者的评价，有的书的评价有好几百条，不去书店，也能了解这本书怎么样。

③ 男：我想买一本《上下五千年》，怎么查？

女：你看见这个"搜索"了吗？"搜索"就是查找的意思，在前边打书名，然后点击搜索就行了。你试试。

男：一共有七百多种，怎么这么多？

女：这是不同出版社出版的，也有出版时间不一样的，有的书名也不一样，有《中华上下五千年》，也有《世界上下五千年》。

男：这本是八折，这本只有五折，便宜了一半呢。

女：是啊，在网上买书还是很合算的。

男：要用信用卡付钱吗？

女：可以用信用卡，不过我都选择"货到付款"，就是你拿到书了，再交钱。

男：他们从邮局给我寄书吗？

女：是快递公司送书，一般下了订单三四天以后就能收到书。

男：我还要付钱给快递公司吗？

女：不用，你看，这儿写着"全场免运费"，就是说所有的东西都是不收运费的。

男：这可真是又便宜又方便，我现在就想买。

女：别着急，你先得注册成为当当网的用户，来，我帮你注册。

练　习

23-2 一、请仔细听录音，找出每组句子有什么共同的地方

第一组：① 那个网上书店的网址是什么？

　　　　② 我经常上网买东西。

　　　　③ 他在网上认识了一个网友，正打算见面呢。

　　　　（课文例句：咱们一起上网看看吧，网址是 www.dangdang.com，这个网站还卖别的东西。）

第二组：① 你们国家扔垃圾，要分类吗？

　　　　② 这些动词可以分成两类。

　　　　③ 按照国家分类，我们班有三分之一韩国人，四分之一日本人。

　　　　（课文例句：你先找到图书，然后点击，可以看到图书的分类。）

第三组：① 怎么这么多人啊？我等下一趟车吧。

　　　　② 天怎么这么冷？幸亏我穿得多。

　　　　③ 你怎么这么晚才来，我都等急了！

　　　　（课文例句：一共有七百多种，怎么这么多？）

第四组：① 冬天的服装正在打折，现在买很合算。

　　　　② 两个人合租房子特别合算。

　　　　③ 网上买东西比去商店买合算。

　　　　（在网上买书还是很合算的。）

第五组：① 快递公司的运费是 5 块钱。

　　　　② 我的学费都是自己挣的。

　　　　③ 房租不包括水费、电费和煤气费。

　　　　（课文例句：你看，这儿写着"全场免运费"，就是说所有的东西都是不收运费的。）

23-3 二、听全文，在括号中正确的选项后画 √

1. 他们讨论怎么在（书店　　网上 √）买书。

2. （男的　　女的 √）常常在网上买书。

3. 在网上买书（比书店便宜 √　　跟书店一样　）。

4. 男的想买一本（历史书 √　　工具书　）。

5. 对话最后，男的（买到了　　还没买到 √）书。

23-3-1 三、根据课文第一段内容，判断正误

1. 男的在中国买书，不会还价。　　　　　　（ × ）

2. 当当网除了书，不卖别的。　　　　　　　（ × ）

3. 男的想买中国历史的书。　　　　　　　　（ √ ）

4. 当当网上的历史书有一万多种。　　　　　（ √ ）

23-3-1
23-4 四、根据课文第一段内容，选择正确答案

1. 女的是怎么买书的？　（ A ）

A. 先去书店看，再上网买　　　　　　B. 先上网看，再去书店买

C. 直接去书店买　　　　　　　　　　D. 直接在网上买

2. 关于上网买书，下面哪项是对的？　（ A ）

A. 最贵的八折　　　　　　　　　　　B. 可以讨价还价

C. 不能打折　　　　　　　　　　　　D. 跟书店一样

3. 对话提到的图书分类，下面哪项是对的？　（ B ）

A. 工具书、字典、小说、教育　　　　B. 小说、儿童、生活、教育、工具书

C. 中国历史、世界历史、教育　　　　D. 学习工具、小说、历史、教育、生活

23-3-2 五、根据课文第二段内容连线

五星图书　　　　　　　　　　　　新书

畅销榜　　　　　　　　　　　　　根据读者的评价

最新上架　　　　　　　　　　　　根据卖出的数量

23-3-3 六、根据课文第三段内容，选择正确答案

1. 男的想买什么书？　（ A ）

A.《上下五千年》　　　　　　　　　B.《中国上下五千年》

C.《世界上下五千年》　　　　　　　D.《地球上下五千年》

2. 想买《上下五千年》，先输入什么，然后搜索？（ B ）

    A. 出版社   B. 书名

    C. 出版时间   D. 价格

3. 女的买书一般用什么方法付钱？（ D ）

    A. 邮局寄钱   B. 信用卡

    C. 银行寄钱   D. 货到付款

4. 关于送书，下面哪项正确？（ C ）

    A. 邮局寄书   B. 网站送书

    C. 快递公司送书   D. 自己取书

5. 关于费用，下面哪项正确？（ A ）

    A. 不用付运费   B. 不用付书费

    C. 运费打折   D. 免费送一本书

6. 想在当当网买书，第一步应该做什么？（ B ）

    A. 选一本书   B. 注册成为用户

    C. 办当当卡   D. 付钱给当当网

23-6 七、边听录音边填空，然后回答问题

1. 一般来说，书店不（打折），而网上书店都（打折），有时可以打五折、六折，（甚至）更低，（最贵）
的也可以打到八折。

    问：一本书标价30元，网上书店可能卖多少钱？请画√。

        30元   28元   24元   20元   15元   3元

2. 咱们一起（上网）看看吧，（网址）是 www.dangdang.com，这个（网站）还卖别的东西。

    问：你填写的三个词都跟"网"有关，请再说出几个有"网"的词语。

3. A:（搜索）《上下五千年》，一共有七百多种，（怎么）这么多？

    B：这是（不同）出版社出版的，也有出版（时间）不一样的，有的（书名）也不一样，有《（中华）
上下五千年》，也有《（世界）上下五千年》。

    问：搜索《上下五千年》，为什么会出现七百多种结果？上面提到的这两本书可能是什
       么内容？

4. 你看，这儿写着"全场（免）运费"，就是说所有的东西都不收（运费）的。

    问：在网上买书，什么费用不用付？

5. 这可真是又（便宜）又（方便），我现在就想买。

问：你填写的词里有一个多音字，是哪个字？

23-7 八、选词填空

| 分类 | 合算 | 网购/网民 | 付款 | 免费/电话费/小费 | 怎么这么 |

1. 你（怎么这么）高兴啊？是不是找到工作了？

2. "（网购）"的意思就是在网上买东西。

3. 房租这么贵，一个人租不（合算）。

4. 天下没有（免费）的午餐。

5. 现在中国的（网民）快到四亿了。

6. 我每个月的（电话费）大概是一百多块钱。

7. 在这儿吃饭，不用给（小费）。

8. 请你把文件（分类）放到文件夹里。

9. （怎么这么）快就上班了？放假的时间太短了！

10. 商场服装的（分类）是这样的：男装、女装和童装。

24

请客的经济学

课　文

请客的经济学

　　几个人一起去饭馆吃饭，通常中国人会由一个人买单，而西方人则喜欢 AA 制，大家各付各的，这是为什么呢？

　　经济学家常常用"流动性"来回答这个问题。在他们看来，以前的中国是农业社会，人的流动性较差。因此，一个人请客买单时，可以想到被请的人以后也会请他，大家轮流请客就是了，这次你请我，下次我请你，谁也不吃亏。而在西方，人的流动性强，一个人请别人的客，被请的人说不定这辈子再也见不到了，为了大家都不吃亏，各付各的是最好的选择。

　　实际上，中国一个人买单和西方人各付各的并没有什么不同：西方是一次性的 AA 制，中国人是分成多次的 AA 制，只不过时间拉长了。

　　"流动性"的概念还可以解释一些其他现象。比如：农村人为什么比城市人更喜欢生小孩？为什么大多数人更喜欢生儿子而不是女儿？跟城市相比，农村的流动性差，儿女们不太可能远走高飞，因此，生孩子能让父母们得到更稳定的预期收益，这就相当于父母先请孩子的客，把孩子抚养大。父母老了以后，再由孩子请父母的客，照顾他们，让他们有一个美好的晚年。至于城市，小孩的流动性大，长大以后说不定会到哪里去，父母想要依靠他们可不容易，预期收益就降低了。在这种情况下，少生儿女或者让儿女早一点儿独立就成为家长最合适的选择。至于"重男轻女"，道理就更简单：女儿长大以后要嫁出去，"流动性"比男孩儿高。

　　从上面的分析可以看出，如果有一天中国人也开始流行 AA 制，那很可能是因为中国人的"流动性"增强了。

练　习

24-2 **一、请仔细听录音，找出每组句子有什么共同的地方**

　　第一组：① 咱们各买各的，一个小时以后在商店门口见吧。

　　　　　　② 我们虽然住在一起，可是各做各的饭，各花各的钱。

　　　　　　③ 他们各有各的房间，谁也不影响谁。

　　　　　　（课文例句：几个人一起去饭馆吃饭，通常中国人会由一个人买单，而西方人则喜欢AA制，大家各付各的。）

第二组：① 这只不过是一次小测验，别那么紧张。

② 我只不过是普通感冒，不用休息两个星期呀。

③ 他只不过迟到了三分钟，你怎么这么生气？

（课文例句：西方是一次性的 AA 制，中国人是分成多次的 AA 制，只不过时间拉长了。）

第三组：① 跟听力相比，我的口语更好。

② 跟大城市相比，农村的空气新鲜多了。

③ 跟几十年前相比，现在的气温越来越高。

（课文例句：跟城市相比，农村的流动性差。）

第四组：① 每年中国增加的人口为 1700 多万，相当于一个中等国家的人口。

② 那棵树有五十多米，相当于十几层楼那么高。

③ 地铁一趟车能装一千多人，相当于十几辆公共汽车。

（课文例句：生孩子能让父母们得到更稳定的预期收益，这就相当于父母先请孩子的客，把孩子抚养大。）

第五组：① 假期我要去旅行，至于去哪儿，还没决定。

② 我决定参加 HSK 考试，至于他考不考，我不知道。

③ 我必须回家过年，至于怎么回去，到时候再说吧。

（课文例句：至于城市，小孩的流动性大，长大以后说不定会到哪里去，父母想要依靠他们可不容易，预期收益就降低了。）

24-3 二、听全文，在括号中正确的选项后画 √

1. 几个人一起吃饭，（西方人　中国人 √）喜欢一个人买单，（西方人 √　中国人　）喜欢 AA 制。
2. 跟农村相比，城里人的流动性（强 √　差　）。
3. "流动性" 可以解释的现象有：一个人请客还是 AA 制，（城里人　农村人 √）为什么更喜欢生孩子，为什么很多人喜欢生（女孩儿　男孩儿 √）。

24-3 三、根据课文内容，先把A或B填入前边的括号里，然后连线

A. 流动性差　　　　B. 流动性强

（ A ）大家轮流请客，谁也不吃亏。　　　　　少生孩子

（ B ）以后说不定再也见不到了，吃饭各付各的。　　喜欢生男孩

（ A ）孩子长大后留在父母身边，照顾父母。　　一人买单

（ B ）孩子长大后远走高飞。　　　　　　　AA 制

（ B ）女儿要嫁出去。　　　　　　　　多生孩子

`24-3` **四、根据课文内容，判断正误**

1. 几个中国人去餐馆吃饭，只有一个人愿意付钱。 （ ✕ ）

2. 在中国，一个人请客买单时，他认为被请的人以后也会请他。 （ ✓ ）

3. 在中国，一个人请客买单时，别人会认为他吃亏了。 （ ✕ ）

4. 生孩子能够使父母的收入更稳定。 （ ✕ ）

5. 城市孩子比农村孩子的流动性强。 （ ✓ ）

6. 父母经常请孩子吃饭。 （ ✕ ）

7. 父母老了后，孩子会请他们吃饭。 （ ✕ ）

8. 城市的孩子长大以后都不知道到哪里去。 （ ✕ ）

9. 作者认为，今后中国人的流动性会增强。 （ ✕ ）

五、在词语和它们的意思之间连线，然后填空

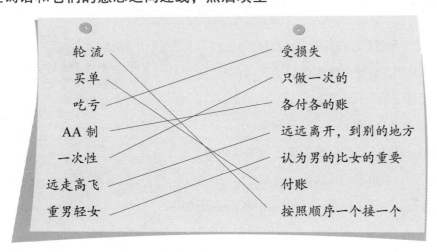

轮 流	受损失
买单	只做一次的
吃亏	各付各的账
AA 制	远远离开，到别的地方
一次性	认为男的比女的重要
远走高飞	付账
重男轻女	按照顺序一个接一个

1. A：服务员，（买单）！

　 B：好的，一共是 270 元。

2. 孩子们（远走高飞）了，家里只剩下两位老人。

3. 要实现男女平等，必须改变（重男轻女）的传统观念。

4.（一次性）筷子和（一次性）饭盒都不环保。

5. 你们还是学生呢，咱们（AA 制）吧，等你们工作了再请我。

6. 我们宿舍一共有四个人，大家（轮流）打扫卫生。

7. 这件衣服，我刚买了不到两天就打折了，真（吃亏）！

`24-4` **六、边听录音边填空，然后回答问题**

1. 在西方，人的流动性（强），一个人请别人的客，被请的人（说不定）这辈子再也见不到了，为了大家都不（吃亏），（各付各的）是最好的选择。

　 问：西方人喜欢AA制的原因是什么？

2. 西方是（一次性）的 AA 制，中国人是（分成）多次的 AA 制，（只不过）时间拉长了。

　　问：作者认为中国人的一个人请客也是 AA 制吗？跟西方的 AA 制有什么不同？

3. （跟）城市（相比），农村的流动性差，儿女们不太可能（远走高飞），因此，生孩子能让父母们得到更（稳定）的预期收益，这就（相当于）父母先请孩子的客，把孩子抚养大。父母老了以后，再（由）孩子请父母的客，（照顾）他们，让他们有一个（美好）的晚年。

　　问：农村的流动性怎么样？有什么表现？"预期收益"指的是什么？

4. （至于）"重男轻女"，道理就更（简单）：女儿长大以后要嫁（出去），"流动性"比男孩儿高。

　　问：为什么多数人喜欢生儿子而不是女儿？

24-5 七、选词填空

各 V 各的　　只不过　　跟……相比　　至于　　相当于

1. 我们一起去健身房，不过（各做各的）运动。

2. 我（只不过）开个玩笑，你千万别生气。

3. 对这个问题，我们（各有各的）看法。

4. 这种手机大小（相当于）信用卡，重量只有 70 克。

5. （跟）刚来的时候（相比），我能听懂的汉语越来越多了。

6. （跟）超市（相比），自由市场的东西便宜一点儿。

7. 我们班要一起吃饭，（至于）AA 制还是老师请客，还没决定。

8. 那是他们国家最大的节日，（相当于）中国的春节。

9. 你丢的（只不过）是辆旧自行车，再买一辆就行了。

10. 你的收入（相当于）我的三倍，肯定比我压力大呀。

11. 他要结婚了，（至于）新娘是谁，还是秘密。

要求
① 请先独立填写答案
② 填好后同学之间可以讨论
③ 最后听录音

25 孔雀的悲哀

畅所欲言

2.下面是一组爱情心理测试题，请试着选择一下。

参考答案解析：

（1）假如世界末日来临，你只能救一种动物，你会救哪一种？

    a.兔   b.羊   c.鹿   d.马

这道题测试你在现实生活中容易被哪些人吸引：

a.兔——有分裂的人格，外表像冰而内心炽热的人

b.羊——重视你，顺从而温柔的人

c.鹿——优雅、有礼貌的人

d.马——不受约束、向往自由的人

（2）如果你必须变成一种动物，你想变成哪一种？

    a.狮子   b.猫   c.马   d.鸽子

这道题测试此刻你对爱情的看法：

a.狮子——你总是渴望爱情，能为爱情做任何事，但你不会轻易坠入情网

b.猫——你非常自我，认为爱情对你来说，是可以轻易得到和放弃的东西

c.马——你不想被固定的关系绑住，你只想处处调情

d.鸽子——你认为爱情是两人间的承诺

（3）如果你有能力使某种动物消失，你会选择哪一种？

    a.狮子   b.蛇   c.鳄鱼   d.鲨鱼

这道题测试你最讨厌的个性中，哪一点会使你与爱人分手：

a.狮子——你的爱人傲慢自大，表现得像一个独裁者，令你很生气

b.蛇——情绪化，太过喜怒无常，而你也不知道如何取悦他

c.鳄鱼——无情、冷血又爱讽刺人

d.鲨鱼——不安全、不可靠

（4）有一天，你碰上了一种会说人话的动物，你希望是哪种动物？

    a.羊   b.马   c.兔   d.鸟

这道题测试你想跟你的爱人建立一个什么样的关系：

a.羊——你俩不用多说话，用心沟通，对方总能知道你要什么

b.马——你俩能谈任何事情，没有秘密

c. 兔——一种让你一直能够感受到温暖与甜蜜的关系

d. 鸟——你和爱人不只关心现在，也关心将来，一种你能与之一起成长的长期关系

（5）在一个没有人的岛上，你只能选一种动物来陪你，你会选哪一种？

a. 狗　　b. 猪　　c. 母牛　　d. 鸟

这道题测试你会有外遇吗：

a. 狗——你重视社会道德，婚后也不会犯这样的错

b. 猪——你无法抗拒欲望，很可能会越轨

c. 母牛——你不会主动，也不拒绝，但你会很努力试着不要这样做

d. 鸟——你从来就不够坚定，事实上，你不适合婚姻，因为你害怕做承诺

课　文

孔雀的悲哀

　　朋友请我做了一个心理小测验。说有五种动物——老虎、猴子、孔雀、大象、狗。你到一个从来没去过的森林探险，带着这五种动物，周围的环境非常危险，你不可能把它们都带到最后，你不得不一一地放弃，你会按照什么样的顺序放弃呢？

　　我想了一会儿说："孔雀、老虎、狗、猴子、大象。"朋友大笑起来说：果然不出我所料，你也首先放弃孔雀。知道孔雀代表什么吗？朋友一个一个向我解释：孔雀代表你的爱人，老虎代表金钱和权力，大象代表你的父母，狗代表你的朋友，猴子代表你的孩子。这个问题的答案意味着在困难的环境中你会首先放弃什么，让你看看你自己是什么样的人。

　　孔雀代表我的爱人？我一下子惊呆了，在困难的环境中我会最先放弃我的爱人，我是这样的人吗？我为什么会这样选择呢？是因为我觉得在困难的环境中孔雀是最不能帮助我的。

　　我对朋友的解释很不以为然，于是我也让许多人来做这个游戏，没有一个例外，人们首先放弃的都是孔雀，当我最后告诉他们答案时，他们的反应也像我一样，都很吃惊而且不相信。

　　有一天我又让一个朋友来做这个测验，他考虑了很久以后对我说：猴子、老虎、大象、狗、孔雀。我大吃一惊，他是我遇到的唯一一个选择最后放弃孔雀的人。

　　"为什么最后放弃孔雀？"我一个劲儿地问。他对我的问题倒吃了一惊，说："你想想，在这所有的动物中，只有孔雀最没有保护自己的能力，我怎么能轻易放弃，让它陷入危险的环境中呢？"

　　我立刻明白了我的悲哀。我们在选择时，太多地考虑了别人能给我们什么帮助，而没有想到别人需要我们什么帮助。

（选自紫浣花同名文章）

练　习

25-2 **一、请仔细听录音，找出每组句子有什么共同的地方**

　　第一组：① 他每天都收到几百封信，不能一一回信。

　　　　　　② 考试以前，老师一一回答了同学的疑问。

　　　　　　③ 大家都想跟他合影，他一一满足了大家的要求。

　　　　　　（课文例句：你不可能把它们都带到最后，你不得不一一地放弃。）

　　第二组：① 汉语的时间是按照年、月、日的顺序表达的。

　　　　　　② 我们按照报名的顺序安排考试。

　　　　　　③ 博物馆有四个展览，你打算按照什么顺序参观？

　　　　　　（课文例句：你会按照什么样的顺序放弃呢？）

　　第三组：① 考上这个中学，意味着肯定能上大学。

　　　　　　② 新的一年意味着新生活的开始。

　　　　　　③ 买不到火车票，意味着我不能回家过春节。

　　　　　　（课文例句：这个问题的答案意味着在困难的环境中你会首先放弃什么。）

　　第四组：① 不要轻易放弃，再坚持一下，就会成功。

　　　　　　② 有了这个软件，我可以轻易处理照片了。

　　　　　　③ 你总是轻易相信别人的话，这样太危险了。

　　　　　　（课文例句：在这所有的动物中，只有孔雀最没有保护自己的能力，我怎么能轻易放弃，
　　　　　　让它陷入危险的环境中呢？）

　　第五组：① 他每年都回老家待一个星期，今年也不例外。

　　　　　　② 每个人都必须遵守交通规则，没人能例外。

　　　　　　③ 大家都来自大城市，只有他是例外。

　　　　　　（课文例句：于是我也让许多人来做这个游戏，没有一个例外，人们首先放弃的都是孔
　　　　　　雀。）

25-3 **二、听全文，在括号中正确的选项后画 √**

　　你到一个从来没去过的森林（探险 √　　旅游　），带着五种（宠物　　动物 √），周围的环境非常
（漂亮　　危险 √），你（不可能 √　　要尽量　）把它们都带到最后，你（可以　　不得不 √）一一地放
弃，你会按照什么样的顺序放弃呢？

25-3 **三、在动物和它们所代表的东西之间连线**

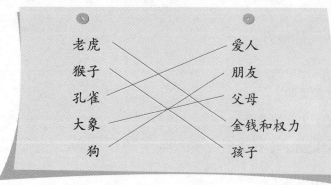

老虎	爱人
猴子	朋友
孔雀	父母
大象	金钱和权力
狗	孩子

25-3 **四、根据课文内容，判断正误**

1. 朋友请"我"带着五种动物去森林探险。　　　　　　　　(×)

2. "我"选择首先放弃孔雀。　　　　　　　　　　　　　　(√)

3. 朋友没想到"我"会首先放弃孔雀。　　　　　　　　　　(×)

4. "我"不相信朋友的解释。　　　　　　　　　　　　　　(√)

5. 这个测验的答案说明在困难的环境中你会首先放弃什么。(√)

6. "我"不知道自己对爱人没有感情。　　　　　　　　　　(×)

7. 只有一个人首先放弃了孔雀。　　　　　　　　　　　　(×)

8. 许多做这个测验的人都首先放弃了孔雀。　　　　　　　(√)

9. 在这五种动物中，最没有保护自己能力的是孔雀。　　　(√)

25-3
25-4 **五、根据课文内容，选择正确答案**

1. "我"为什么首先放弃孔雀？（ C ）

　　A. 孔雀会飞，能保护自己　　　　B. 孔雀不会给"我"带来危险

　　C. 孔雀不能帮助"我"　　　　　　D. "我"不知道孔雀代表爱人

2. "我"为什么不同意朋友的解释？（ B ）

　　A. 孔雀不能代表爱人　　　　　　B. "我"不会在困难中放弃爱人

　　C. 这个测验不可信　　　　　　　D. 这个测验的结论令"我"悲哀

3. 朋友告诉"我"孔雀代表爱人，"我"有什么感觉？（ A ）

　　A. 吃惊而且不相信　　　　　　　B. 觉得悲哀

　　C. 相信朋友的话　　　　　　　　D. 感到对不起爱人

4. 选择最后放弃孔雀的人是怎么想的？（ A ）

　　A. 想给孔雀多一点儿保护　　　　B. 孔雀最漂亮

　　C. 知道孔雀代表爱人　　　　　　D. 没想，随便挑的

25-5 六、听下面的疑问句，说说有哪些不同的类型，每一类的形式和意义有什么特点

1. 你会按照什么样的顺序放弃呢？

2. 知道孔雀代表什么吗？

3. 孔雀代表我的爱人？我一下子惊呆了。

4. 在困难的环境中我会最先放弃我的爱人，我是这样的人吗？

5. 我为什么会这样选择呢？是因为我觉得在困难的环境中孔雀是最不能帮助我的。

6. 我怎么能轻易放弃，让它陷入一个危险的环境中呢？

25-6 七、选词填空

| 一一　　按照……顺序　　意味着　　例外　　轻易 |

要求
① 请先独立填写答案
② 填好后同学之间可以讨论
③ 最后听录音

1. 我们都去过长城了，他是唯一的（例外）。

2. 出国留学，对我来说，（意味着）更丰富的经历。

3. 照片是（按照）时间（顺序）整理的。

4. 乘客（一一）接受了安全检查。

5. 懂得欣赏就（意味着）懂得生活。

6. 别（轻易）打开奇怪的电子邮件，它有可能有病毒。

7. 汉语的地址是（按照）从大到小的（顺序）写的。

8. 他把各个公司招聘的情况（一一）记了下来。

9. 他们只谈了两个月恋爱，就（轻易）地结婚了。

10. 成功的人都离不开家庭的支持，他也不（例外）。

科学的睡眠

课 文

科学的睡眠

① 小雪很注意报纸上的一些美容保健方面的信息，也会耐心地按照报纸上说的去做。

第一天她在《科学报》上看到一条消息："医学专家研究发现，科学的睡眠姿势应该是向左侧卧，左侧卧可使右脑得到充分的休息，对左脑也有好处，而且可以帮助消化。"这天夜里小雪就是按照报纸上说的向左侧卧睡的。

第二天小雪在《健康报》上看到一条消息："医学专家研究发现，正确的睡眠姿势应该是向右侧卧，因为人的心脏在左侧。如果人睡眠时向左侧卧，会增加心脏的负担，而向右侧卧就可以减轻心脏的负担，对心脏有好处。"这天夜里小雪就是按照报纸上说的向右侧卧睡的。

第三天小雪在《美容报》上看到一条消息："美容专家研究发现，睡眠的姿势对美容非常重要。最好的姿势是仰卧，仰卧时人的皮肤最放松，脸上不容易长皱纹。"

② 小雪觉得健康、美容都很重要，她决定每天晚上这三个姿势都要有。于是就买了三个闹钟：第一个闹钟定在夜里一点，第二个定在四点，第三个定在早晨七点。这样，小雪在晚上十点睡觉时是左侧卧，第一个闹钟响了以后，小雪换成右侧卧，第二个闹钟响了以后，小雪换成仰卧，当第三个闹钟响起时，小雪就该起床了。

这样的计划实施一个月以后，小雪得了失眠症。没了睡眠质量，还谈什么健康、美容呢？小雪决定去医院问一下医生。

小雪来医院，大夫检查了一下说："你啊，最好趴着睡，为什么呢？你的臀部太平了，如果仰着睡不就压得更平了吗？还有，你的背很美，不要因为仰卧破坏了你背部的曲线。趴着睡还可以增加肚子的压力，给你的肚子减肥。"

小雪终于明白了，再请教别人，说不定就该站着睡了。她决定从今天晚上开始只让第三个闹钟响，因为她知道了科学的睡眠姿势，不用再睡得那么累了。

练 习

🎧 26-2 一、请仔细听录音，找出每组句子有什么共同的地方

第一组：① 随着人口的增加，污染也越来越厉害了。

② 跟五年前相比，他的工资增加了 10%。

③ 他一直在减肥，不过体重没有减少，反而增加了。

（课文例句：如果人睡眠时向左侧卧，会增加心脏的负担。）

第二组：① 少留作业，可以减轻孩子的负担。

② 体重减轻了，心脏的负担也减轻了。

③ 为了减轻工作的压力，他想了不少办法。

（课文例句：向右侧卧就可以减轻心脏的负担，对心脏有好处。）

第三组：① 夏天，吃的东西容易变坏。

② 你感冒了，吃点儿容易消化的东西吧。

③ 有 HSK 成绩，容易找工作吗？

（课文例句：仰卧时人的皮肤最放松，脸上不容易长皱纹。）

第四组：① 连吃饭都成问题，还谈什么艺术？

② 没有自信，还谈什么成功？

③ 每天忙得连吃饭的时间都没有，谈什么度假、休闲？

（课文例句：没了睡眠质量，还谈什么健康、美容呢？）

第五组：① 你再不来，我们就走了。

② 你再不睡觉，明天就该迟到了。

③ 别喝了，再喝就醉了。

（课文例句：小雪终于明白了，再请教别人，说不定就该站着睡了。）

26-3-1 二、听课文第一段内容，在括号中正确的选项后画 √

1. 课文提到了（一种　　两种　　三种 √ ）报纸。

2. 报纸提到了三种（睡眠 √ 　　学习 ）的姿势。

3. 三张报纸的看法（一样　　不一样 √ ）。

26-3-1 三、再听一遍，边听边填表（有多余的选项）

A. 仰卧　　　B. 向左侧卧　　　C. 向右侧卧　　　D. 减轻心脏负担　　　E. 不长皱纹

F. 使右脑得到休息　　　G. 使左脑得到休息　　　H. 可以减肥　　　I. 帮助消化

报纸	睡觉的姿势	这种姿势的好处
《科学报》	B	F
《健康报》	C	D
《美容报》	A	E

26-3-2
26-4 六、根据课文第二段内容，选择正确答案

1. 小雪对报纸上的说法是什么态度？（ D ）

    A. 有些怀疑   B. 半信半疑

    C. 全都不信   D. 照着去做

2. 小雪按报纸上说的做了以后怎样了？（ C ）

    A. 睡得很香   B. 漂亮了

    C. 睡得很累   D. 健康了

3. 小雪是什么时候开始失眠的？（ C ）

    A. 左侧卧以后   B. 右侧卧以后

    C. 一个月以后   D. 去医院以后

4. 第三个闹钟响起时，小雪做什么？（ D ）

    A. 左侧卧   B. 右侧卧

    C. 仰卧   D. 起床

5. 大夫建议小雪用什么姿势睡觉？（ A ）

    A. 趴着睡   B. 想怎么睡就怎么睡

    C. 站着睡   D. 各种姿势换着睡

6. 问过大夫以后，小雪产生了什么想法？（ D ）

    A. 相信了大夫的话   B. 报纸说的都不对

    C. 大夫说的也不对   D. 不能再请教别人了

26-3 七、根据课文内容，判断正误

1. 小雪很重视自己的健康和美容。   （ √ ）

2. 报纸上怎么说，小雪就怎么做。   （ √ ）

3. 小雪综合了三张报纸的说法。   （ √ ）

4. 小雪每三天换一个睡眠姿势。   （ × ）

5. 报纸和大夫一共提到了四种睡眠姿势。   （ √ ）

6. 小雪觉得站着睡觉也不错。   （ × ）

7. 小雪决定从今天起，不再用闹钟了。   （ × ）

26-5 八、边听录音边填空，然后回答问题

1. 她决定每天晚上这三个（姿势）都要有。于是就买了三个（闹钟）：第一个闹钟（定在）夜里一点，第二个定在四点，第三个定在早晨七点。这样，小雪在晚上十点睡觉时是（左侧卧），第一个闹钟

响了以后，小雪（换成）右侧卧，第二个闹钟响了以后，小雪换成（仰卧），当第三个闹钟响起时，小雪就该（起床）了。

问：小雪买来三个闹钟是干什么用的？这三种姿势分别睡几个小时？

2. 你啊，（最好）趴着睡，为什么呢？你的臀部太（平）了，如果仰着睡（不就）压得更平了吗？还有，你的背很美，不要因为仰卧（破坏）了你背部的曲线。趴着睡还可以增加肚子的（压力），给你的肚子（减肥）。

问：趴着睡有哪些好处？

3. 她决定从今天晚上开始只让第三个闹钟（响），因为她知道了（科学）的睡眠姿势，不用（再）睡得那么累了。

问：她用这个闹钟干什么？她打算怎么睡？

26-6 九、选词填空

| 增加 | 减轻 | 容易 | 再……就…… | 谈什么 |

1.（再）找不到工作，我（就）自己办公司。

2. 随着年龄的（增加），他感到身体大不如以前了。

3. 连中文的意思都不明白，还（谈什么）翻译？

4. 咱们快走吧，（再）不走（就）晚了。

5. 如果丈夫多做一点儿家务，妻子的负担就能（减轻）。

6. 给孩子报辅导班，当然会（增加）他的负担。

7. 每天上网时间太长，眼睛（容易）疲劳。

8. 在收入不变的条件下，我们希望（减轻）工作量。

9. 没有好的身体，还（谈什么）事业、家庭？

10. 从来不锻炼身体的人，（容易）得病。

要求
① 请先独立填写答案
② 填好后同学之间可以讨论
③ 最后听录音

商店太热情，顾客难接受

课　文

商店太热情，顾客难接受

① A（老张）：小刘，你刚买的化妆品呢？拿出来让我欣赏欣赏。

B（小刘）：咳，什么都没买，还生了一肚子气。

A：怎么了？现在的售货员不是挺热情的吗？

B：就是太热情了我才生气的。我本来是想买一支口红，刚一靠近化妆品柜台，一下子就上来三位小姐，这个说我们这个新产品是去黑眼圈的，您试试吧；那个说，这是专门去皱纹的，现在正优惠呢。这不是在提醒我：你有黑眼圈了，你长皱纹了。有这些毛病我自己还不知道呀！本来看着自己一天天变老，心里就够难受的了，这不是让我更烦吗？

A：是够让人生气的。我上星期天也遇上过一件烦人的事，我带女儿去买衣服，她试了一件，没看上，售货员一个劲儿劝我买，说我穿上肯定好。你说说，我女儿才二十岁，我都快五十了，穿的衣服能一样吗？

C：老张、小刘，要我说呀，售货员热情点儿，总比以前的冷淡好。那时候，他们多一句话也不愿意说，顾客还不是要生一肚子气？

B：看来你是没受过这种过分热情的气。

② C：我平时倒是不怎么逛商店，可有一次在饭店把我气坏了。那天我陪几个客人去吃饭，饭店的服务员特别热情，我心里还挺高兴。就让她推荐了几个菜，没想到她光推荐贵的，不点吧，在客人面前丢面子；点吧，花那么多钱又心疼。

A：其实不管是商店还是饭店，他们的唯一目的就是多卖钱。

B：这倒也没什么错，总比态度冷淡要好。不过我很希望能自己随便挑，随便看，需要售货员帮助的时候，他能热情介绍。

C：看来，售货员也该好好了解了解顾客的心理，省得过分热情，顾客还不满意。

A：其实售货员也有他们的难处，我的邻居就是售货员，有一次我跟他聊起来，他说如果他们不像现在这样给顾客介绍、推荐，经理就该扣他们奖金了。

B：这么说，是商店的经理们该学学顾客心理学了。

C：是啊，看来卖东西也不是件容易的事，既要热情，又不能过分，得让顾客高高兴兴地花钱，不能让人觉得你在骗他。

练 习

27-2 一、请仔细听录音，找出每组句子有什么共同的地方

第一组：① 她是张艺谋最欣赏的演员。

② 爬上山顶，就可以欣赏那里美丽的景色了。

③ 我很欣赏他的自信和乐观。

（课文例句：你刚买的化妆品呢？拿出来让我欣赏欣赏。）

第二组：① 那天逛商店，我看上了一件衣服，马上就买了下来。

② 小张喜欢小王，可是小王没看上他。

③ 我昨天参加面试了，可惜公司没看上我。

（课文例句：我带女儿去买衣服，她试了一件，没看上。）

第三组：① 健身总比上网玩儿游戏强。

② 虽然晚了点儿，总比不来好。

③ 虽然只考了70分，但总比不及格好多了。

（课文例句：售货员热情点儿，总比以前的冷淡好。）

第四组：① 售货员过分热情，顾客都不满意。

② 得了感冒，不用过分紧张。

③ 这个要求不算过分，甚至可以说是最低要求。

（课文例句：看来你是没受过这种过分热情的气。）

第五组：① 咱们去外边吃吧，省得自己做。

② 一次多买点儿，省得天天买。

③ 快告诉她你已经到了，省得她担心。

（课文例句：售货员也该好好了解了解顾客的心理，省得过分热情，顾客还不满意。）

27-3 二、听全文，在括号中正确的选项后画 √

1. 一共有（两个　　三个 √）人在说话，（一个　　两个 √）女的，（一个 √　　两个　）男的。

2. 有（一个　　两个　　三个 √）人在消费时，遇到了不满意的事。

3. 售货员／服务员的过度（热情 √　　冷淡　）引起了大家的不满意。

27-3-1
27-4 三、根据课文第一段内容，选择正确答案

1. 小刘去商店本来打算做什么？（　A　）

A. 买口红　　　　　　　　　　B. 买去黑眼圈的化妆品

C. 买去皱纹的化妆品　　　　　D. 随便逛，不买什么

2. 小刘有什么烦恼？（ B ）

  A. 没有买到口红   B. 售货员暗示她有皱纹和黑眼圈

  C. 售货员不热情   D. 看着自己一天天变老

3. 老张买衣服遇上什么烦心的事？（ C ）

  A. 女儿一件衣服也没有看中   B. 自己也没有买成衣服

  C. 售货员乱给她推荐衣服   D. 没有自己合适的衣服

27-3-1 四、根据课文第一段内容，判断正误

1. 售货小姐不热情，小刘很生气。   （ × ）

2. 小刘不知道自己有黑眼圈，长皱纹了。 （ × ）

3. 老张觉得自己穿年轻人的衣服不合适。 （ √ ）

4. 老张穿年轻人的衣服，显得很年轻。 （ × ）

5. 以前的售货员对顾客不热情。   （ √ ）

27-5 五、下面是一些反问句，边听边填空，然后说说这些句子的意思

1. 现在的售货员（ 不是 ）挺热情的吗？

2. 有这些毛病我自己还（ 不知道 ）呀？

3. 本来看着自己一天天（ 变老 ），心里就够（ 难受 ）的了，这不是让我（ 更 ）烦吗？

4. 我女儿才二十岁，我都快五十了，穿的衣服能（ 一样 ）吗？

5. 那时候，他们多一句话也不（ 愿意 ）说，顾客（ 还不是 ）要生一肚子气？

**27-3-2
27-6 六、根据课文第二段内容，选择正确答案**

1. 男的去饭店吃饭，为什么生气？（ C ）

  A. 服务员不热情   B. 那里的菜太贵

  C. 服务员只推荐贵的菜   D. 客人丢了面子

2. 不点服务员推荐的贵的菜，谁没面子？（ A ）

  A. 请客的人   B. 服务员

  C. 被请的客人   D. 所有的人

3. 小刘认为，售货员怎么做比较好？（ D ）

  A. 帮顾客挑东西   B. 多一句话也不说

  C. 一见到顾客就热情介绍   D. 该热情的时候热情

4. 让顾客不满意的，不包括下面哪一项？（ D ）

  A. 过度热情   B. 只推荐贵的东西

  C. 不理顾客   D. 赚顾客的钱

七、在合适的词语之间连线，组成正确搭配

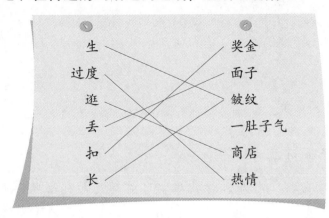

生　　　　奖金
过度　　　　面子
逛　　　　皱纹
丢　　　　一肚子气
扣　　　　商店
长　　　　热情

八、在相关的句子之间连线

1. 售货员热情点儿，　　　　　　　　　　　他们的唯一目的就是多卖钱。

2. 不点吧，在客人面前丢面子；　　　　　　省得过分热情，顾客还不满意。

3. 不管是商店还是饭店，　　　　　　　　　经理就该扣他们奖金了。

4. 如果他们不像现在这样给顾客介绍推荐，　点吧，花那么多钱又心疼。

5. 售货员也该好好了解了解顾客的心理，　　总比以前的冷淡好。

27-7 九、选词填空

| 欣赏　　看上/看不上　　过分　　省得　　……总比…… |

1. 你提醒他一下，（省得）他忘了。

2. 看芭蕾舞，可以（欣赏）音乐，（欣赏）舞蹈，（欣赏）演员。

3. 这么多种电子词典，没有你能（看上）的?

4. 做事不能太（过分），要有分寸。

5. 他们俩（看上）了同一个女孩儿，结果女孩儿（看不上）他们。

6. 工作虽然不太满意，但（总比）没工作强。

7. 我们一起来（欣赏）这部电影吧。

8. 房子虽然不大，（总比）没有好。

9. 你吃完饭再走吧，（省得）回去做饭。

10. 对孩子的学习，不能（过分）关注，要不然他的压力就太大了。

要求

① 请先独立填写答案

② 填好后同学之间可以讨论

③ 最后听录音

 办件好事可真难

课　文

办件好事可真难

记者：人们总说这个难，那个难，什么上学难，找工作难，看病难。可前两天却有位观众跟我说，想做件好事也挺难的。

今天我就给您讲讲做好事难的故事。王先生在长城上捡到一台照相机，而且很可能是两个外国人丢的。王先生是个热心人，拾金不昧，想尽快把相机还给失主。可怎么还？还给谁？王先生觉得真难。

老王：相机是在长城上捡到的，是两个外国人的，外国人丢了东西咱更得还给人家，让人家也知道知道咱中国人是拾金不昧的。

记者：怎么办？王先生首先想到的是长城地区的派出所。

回答是：没人报案，没办法找到失主，可以交到失物招领处。交到失物招领处吧，王先生可真不放心。咱中国人丢了东西都不一定能想到上失物招领处去找，更别说对什么都不熟悉的外国人了。于是好心的王先生决定还是自己去找失主。别的线索没有，王先生只记着那辆车。

老王：我去找车管局，外国人开的那辆车的车牌是红色的，北京这样的车可不多，一查就能缩小范围。可车管局的工作人员说这得保密，不给我查，看来找车管局行不通。

记者：王先生又想可以找报社登个启事，看报纸的人多，没准儿就有人认识失主。可他们的人说："我们得考虑一下能不能登，现在还不能决定。"

记者：王先生说我捡着东西的都这么着急，丢了东西的不是更着急吗？这一等也不知道要等到什么时候。又有朋友给王先生出主意说，相机里还有28张照完了的胶卷，洗出来一看不就什么都清楚了吗？

王先生怀疑这是否侵犯了别人的隐私权。看来这个办法也不行。为了把这台相机还给失主，王先生跑了十几天，找了不少人，可这好事却没办成。没办法只有去失物招领处了。失物招领处的工作人员说："其实我们也挺为难的，我们也希望有更好的办法和外国失主联系上。"

练 习

28-2 一、请仔细听录音，找出每组句子有什么共同的地方

第一组：① 我想尽快熟悉这里，就骑车到处跑、到处看。

② 我把旅行计划寄给你，希望你尽快给我回答。

③ 这个问题，我们一定会尽快解决。

（课文例句：王先生是个热心人，拾金不昧，想尽快把相机还给失主。）

第二组：① 你放心，我肯定给你保密，跟谁都不说。

② 这件事你得给我保密啊。

③ 他们打算结婚，可现在还保密呢。

（课文例句：可车管局的工作人员说这得保密，不给我查。）

第三组：① 咱们参加唱中国歌比赛吧，没准儿还能得奖呢。

② 他没准儿不来了吧，快打个电话问问。

③ A：你决定出国留学了吗？

B：还没准儿呢。

（课文例句：王先生又想可以找报社登个启事，看报纸的人多，没准儿就有人认识失主。）

第四组：① 报纸上登了这次会议的照片。

② 你的文章登出来了吗？

③ 他在杂志上登了征婚启事，希望能找到理想的爱人。

（课文例句：王先生又想可以找报社登个启事，看报纸的人多，没准儿就有人认识失主。）

第五组：① 大家都想跟明星合影，让他很为难。

② 让警察帮忙找失主，警察也很为难。

③ 到底是出国留学还是在国内找工作，一家人都感到为难。

（课文例句：其实我们也挺为难的，我们也希望有更好的办法和外国失主联系上。）

28-3 三、根据课文内容，判断正误

1. 王先生在长城上捡到一台照相机。 　　　　　　　（ ✓ ）

2. 王先生捡到照相机后想尽快还给失主。 　　　　　（ ✓ ）

3. 丢相机的是外国人。 　　　　　　　　　　　　　（ ✓ ）

4. 为了能尽快找到失主，王先生回家后就去了派出所。 （ ✗ ）

5. 派出所认为没人报案他们就无法找到失主。 　　　（ ✓ ）

6. 中国人丢了东西都知道去失物招领处，外国人不一定知道。 （ ✗ ）

7. 王先生认为他比失主还着急。　　　　　　　(×)

8. 王先生用了好几个办法找失主。　　　　　　(√)

9. 王先生发现洗出的照片不清楚。　　　　　　(×)

10. 失物招领处认为他们有更好的办法可以找到失主。　(×)

28-3
28-4
四、根据课文内容，选择正确答案

1. 王先生不知道什么？（ C ）

　　A. 在哪儿能捡到相机　　　　　　B. 丢相机的是不是中国人

　　C. 怎么把相机还给失主　　　　　D. 应该把相机交给什么部门

2. 开始，王先生为什么不把相机交到失物招领处？（ B ）

　　A. 对失物招领处的人不放心　　　B. 担心失主想不到去那儿

　　C. 因为他知道别的线索　　　　　D. 中国人一般不去失物招领处

3. 王先生为什么想在报上登启事？（ D ）

　　A. 外国人都看这份报　　　　　　B. 王先生自己看这份报

　　C. 失主可能会看报　　　　　　　D. 看报的人可能认识失主

4. 王先生为什么不愿意通过洗出胶卷的方法来寻找失主？（ C ）

　　A. 相机里的胶卷还没照完　　　　B. 担心照片可能不清楚

　　C. 不想侵犯失主的隐私权　　　　D. 怀疑失主侵犯了别人的隐私权

五、王先生是按什么顺序通过有关部门寻找失主的？他们的回答是什么？请在括号里写上
　　序号，然后连线

有关部门：　　　　　　　他们的回答：

（ 4 ）失物招领处　　　　没人报案，没办法找到失主。

（ 1 ）派出所　　　　　　这得保密，不能查。

（ 2 ）车管所　　　　　　不能决定能不能登启事。

（ 3 ）报社　　　　　　　觉得挺为难。

28-5
六、边听录音边填空，然后回答问题

1. 咱中国人丢了东西都（不一定）能想到上失物招领处去找，更别说对什么都不（熟悉）的外国人了。

　　问：中国人丢了东西会想到去失物招领处吗？外国人呢？为什么？

2. 外国人开的那辆车的车牌是红色的，北京这样的车可（不多），一查就能（缩小）范围。

　　问：你知道北京的车牌大部分是什么颜色的吗？这辆车有什么特别？

114

3. 我（捡）着东西的都这么着急，（丢）了东西的不是更着急吗。

    问：谁更着急？

28-6 七、选词填空

| 尽快　登　更别说　保密　没准儿　为难 |

1. 银行对客户信息都（保密）。

2. 又要工作，又要照顾孩子，这让她很（为难）。

3. 您的信收到了，我们会（尽快）给您答复。

4. 报纸上（登）了汉语桥比赛的照片，快来看看。

5. 他写了一部新小说，小说的名字暂时（保密）。

6. 我在国外这一年，连中餐都没吃过一次，（更别说）吃饺子了。

7. 他（没准儿）还不知道这件事呢，你告诉他吧。

8. 我必须（尽快）赶到飞机场，麻烦您开快一点儿。

9. 你去试试吧，（没准儿）能买到票。

10. 掏钱吧，心疼，不掏钱吧，没面子，他感到很（为难）。

28-7 八、读一读，听一听，猜一猜，说一说

1. 先读短文，然后选词填空，最后听录音。

| 率　放　丢　捡　分……类　失主　儿童 |

    不少人有（丢）钱包的经历，怎么让钱包失而复得呢？研究人员做了一个"丢钱包"的试验。他们故意在马路上"丢了"240个钱包。钱包里放有照片，但都没有放钱。放在钱包里的照片（分）成几（类）：儿童照片、小狗照片、全家福照片和老夫妇合影。结果发现，在240个钱包中，有42%得到归还。装有儿童照片的钱包归还比例最高，达到88%；装有小狗照片的钱包归还率第二，为53%；排在第三位的是装有全家福照片的钱包，归还（率）为48%，有老夫妇合影照片的钱包归还率为28%。这说明，儿童照片可以激发人们内心深处的保护意识，（捡）钱包的人愿意把钱包尽快还给（失主）。研究人员提醒那些常常丢三落四的人，下次出门时在钱包里放上一张（儿童）照片，这样钱包失而复得的比例要高得多。不过，最好的保护方法还是不要丢钱包，因为这次试验并没有在钱包里（放）钱。

29 办什么样的婚礼

课 文

办什么样的婚礼

① 女：听众朋友，过几天就是"五一"了。"五一"是一年当中很多人选择结婚的日子。我们今天请来了著名的婚礼主持人史先生。史先生已经做了十几年婚礼主持人，主持过一千多个婚礼。大家都说婚礼是个很花钱的事，如果婚礼出了什么问题，多半是钱的问题，是这样的吗，史先生？

男：不是这么回事，婚礼办得好坏不是钱决定的。前年我主持过一个婚礼，花了二十七万，除了豪华以外，我什么都没记住。我常对新郎新娘们说，婚礼的好坏不在于吃五百元一桌还是一千元一桌的饭，也不在于接新娘的车是不是豪华，而在于能不能让你记一辈子。

女：那有没有给您印象深的简朴的婚礼呢？

男：有啊。我主持过的最简朴的婚礼只花了一千多元。在一个很小的饭馆，来了十几个人，都是非常好的朋友。交换信物的时候，新娘给新郎她小时候穿的第一双鞋，她说："这是我妈妈留给我的，陪伴我二十六年，我现在把它送给你，希望能和你一辈子走下去。"新郎给新娘他的第一张照片，他小时候特别苦，上中学了才第一次照相。

女：的确挺感人的。其实婚礼并不一定要豪华，更重要的是自己的感受。

② 女：您主持了十几年婚礼，现在人们更喜欢什么样的婚礼呢？

男：有人喜欢西式的，有人喜欢中式的，不少外国人都喜欢中式的。中国年轻人更喜欢中西结合的婚礼，既有中式的拜天地、喝交杯酒，也有西式的穿婚纱、交换信物。

女：那他们到底穿什么衣服呢？

男：不少人在婚礼开始的时候穿西式的婚纱，喜宴开始的时候换上中式服装，要不给别人敬酒不方便。

女：现在有不少人都选择节假日，或者根据皇历挑"吉利"的日子办婚礼，您对这么做有什么看法？

男：我觉得挑一个纪念日可能更有意义，比如俩人认识两周年纪念日，不一定大家都在节假日办婚礼，根据皇历挑日子就更没必要了。过去人们不愿意在晚上办婚礼，认为不吉利，现在越来越多的新人在晚上办婚礼了，这样做最大的好处就是大家下了班就可以过来，而且晚上灯光很漂亮。

女：我有一些朋友不愿意办婚礼，除了怕麻烦以外，还觉得不少婚礼都缺少特点。

男：你说的不错，现在个性婚礼也渐渐成为时尚了。我就主持过海底婚礼、足球场上的婚礼、热气球上的婚礼。

女：史先生，您今天讲的一定会给准备结婚的听众朋友很多帮助，我代表大家谢谢您。

练 习

29-2 一、请仔细听录音，找出每组句子有什么共同的地方

第一组：① 这个会议是公司总经理主持的。

② 今天晚会的主持人是两位留学生，他们用汉语主持晚会。

③ 我从来没主持过节目，真有点儿紧张。

（课文例句：史先生已经做了十几年婚礼主持人，主持过一千多个婚礼。）

第二组：① 如果我没接电话，多半是正在上课。

② 我们学校有 3000 多学生，多半是女生。

③ 我在安排活动时，多半提前一个星期就作计划。

（课文例句：如果婚礼出了什么问题，多半是钱的问题。）

第三组：① 他能取得这么大的成功，原因就在于坚持。

② 成功的意义不在于挣了多少钱，而在于是否觉得幸福。

③ 幸福不仅在于享受，更在于创造价值。

（课文例句：婚礼的好坏不在于吃五百元一桌还是一千元一桌的饭，也不在于接新娘的车是不是豪华，而在于能不能让你记一辈子。）

第四组：① 在中式婚礼中，新娘要穿红衣服。

② 他很会做西式点心，特别是蛋糕。

③ 学校附近有几家日式餐厅。

（中国年轻人更喜欢中西结合的婚礼，既有中式的拜天地、喝交杯酒，也有西式的穿婚纱、交换信物。）

第五组：① 每个孩子都是不同的，应该允许他们发展个性。

② 很多婚礼都差不多，缺少个性。

③ 年轻人喜欢选择个性化的生活方式。

（课文例句：你说的不错，现在个性婚礼也渐渐成为时尚了。）

29-3 二、听全文，在括号中正确的选项后画 √

1. 对话中的女的是（电台记者 √　　要结婚的人　　）。

2. 史先生的工作是（婚礼主持人 √　　婚姻介绍人　　）。

3. 他们讨论的话题是（西方人　　现代人 √）的婚礼。

29-3-1 三、根据课文第一段内容，判断正误

1. "五一"节时，结婚的人很多。　　　　　　　　（　√　）

2. 简朴的婚礼也会给人留下深刻印象。　　　　　（　√　）

3. 花钱少的婚礼肯定办不好。　　　　　　　　　（　×　）

4. 花了二十七万的婚礼其实并不豪华。　　　　　（　×　）

5. 一千元一桌的饭还不如五百元一桌的好吃。　　（　×　）

6. 史先生主持过的最简朴的婚礼花了不到一千元。（　×　）

7. 这个简朴的婚礼很感人。　　　　　　　　　　（　√　）

8. 新娘结婚的时候二十六岁。　　　　　　　　　（　√　）

9. 婚礼上，妈妈送给新娘她小时候穿的鞋。　　　（　×　）

10. 新郎把自己的相片送给新娘做信物。　　　　　（　√　）

29-3-2
29-4 四、根据课文第二段内容，选择正确答案（可以多选）

1. 中国的年轻人更喜欢什么样的婚礼？（　C　）

　　A. 中式的　　　　　　　　　　　　B. 西式的

　　C. 中西结合的　　　　　　　　　　D. 豪华的

2. 下面哪些是史先生的主张？（　B、E　）

　　A. 办豪华的婚礼　　　　　　　　　B. 办简朴的婚礼

　　C. 不在晚上办婚礼　　　　　　　　D. 在节假日办婚礼

　　E. 在纪念日办婚礼

3. 下面的哪些仪式，是中式婚礼中必须有的？（　B、D　）

　　A. 交换信物　　　　　　　　　　　B. 喝交杯酒

　　C. 穿婚纱　　　　　　　　　　　　D. 拜天地

4. 史先生反对什么样的婚礼？（　C　）

　　A. 中西结合式的婚礼　　　　　　　B. 西式婚礼

　　C. 按皇历挑"吉日"的婚礼　　　　　D. 有个性的婚礼

5. 晚上办婚礼有哪些好处？（ B、D ）

    A. 很吉利   B. 亲戚朋友有时间参加

    C. 有个性   D. 灯光很漂亮

6. 以下哪种婚礼是课文中没有提到的？（ D、E ）

    A. 海底婚礼   B. 足球场上的婚礼

    C. 热气球上的婚礼   D. 旅游婚礼

    E. 植树婚礼

7. 现在什么婚礼成了时尚？（ A ）

    A. 个性婚礼   B. 晚上办婚礼

    C. 西式婚礼   D. 中式婚礼

29-5 五、边听录音边填空，然后回答问题

1. 婚礼的（好坏）不在于吃五百元一桌还是一千元一桌的饭，也不在于（接）新娘的车是不是（豪华），而在于能不能让你记（一辈子）。

    问：好的婚礼是什么样的？

2. 新娘给新郎她（小时候）穿的第一双鞋，她说："这是我妈妈（留）给我的，（陪伴）我二十六年，我现在把它送给你，希望能和你一辈子（走下去）。"

    问：新娘为什么给新郎她的鞋？

3. 不少人在婚礼开始的时候穿（西式）的婚纱，喜宴开始的时候（换上）中式服装，（要不）给别人敬酒不方便。

    问：在婚礼上，新娘开始穿什么衣服？后来呢？为什么？这两种衣服有什么不同？

4. 我觉得（挑）一个纪念日可能更有（意义），比如俩人认识（两周年）纪念日，不一定大家都在（节假日）办婚礼，根据皇历挑日子就更（没必要）了。

    问：对选择什么日子办婚礼，上面提到了三种方法，请你说一说是哪三种，说话人认为哪种好，哪种不好？

5. 我有一些朋友不（愿意）办婚礼，除了（怕麻烦）以外，还觉得不少婚礼都（缺少）特点。

    问：不办婚礼的原因有哪两个？

29-6 六、选词填空

| 主持/主持人 | 多半 | 中式/西式 | 在于 | 个性 |

1. 他们俩吵架，（多半）是为了孩子的教育。

2. 他很喜欢汉堡、薯条这样的（西式）快餐。

3. 学校开了计算机课，目的（在于）从小培养孩子的信息能力。

4. 他们俩（个性）太强，谁也不愿意听对方的，结果分手了。

5. 在中国，有不少外国人喜欢（中式）婚礼，而中国人喜欢（西式）婚礼。

6. 春节的意义（在于）家人团聚，在哪里过都一样。

7. 说到成功，人们（多半）想到的是财富。

8. 健康的关键（在于）科学的生活方式。

9. 他是婚礼（主持人），（主持）过一千多个婚礼。

10. 他想办一个有（个性）的婚礼，不喜欢没有特色的。

要求
① 请先独立填写答案
② 填好后同学之间可以讨论
③ 最后听录音

课　文

导盲犬和他的主人

一天，盲人带着他的导盲犬过马路时，被一辆失去控制的汽车撞死，他的导盲犬为了保护主人，也被撞死了。

主人和狗一起到了天堂门前。

一个天使拦住他俩，说："对不起，现在天堂只剩下一个位置，你们两个中必须有一个去地狱。"

主人一听，连忙问："我的狗又不知道什么是天堂，什么是地狱，能不能让我来决定谁去天堂呢？"

天使鄙视地看了这个主人一眼，她说："很抱歉，每个灵魂都是平等的，你们要通过比赛决定谁能上天堂。"

主人失望地问："什么比赛呢？"

天使说："这个比赛很简单，就是赛跑，从这里跑到天堂的大门，谁先到达，谁就可以上天堂。不过，你也别担心，因为你已经死了，所以不再是盲人，而且灵魂的速度跟肉体没关系，越善良的人跑得越快。"

主人想了想，同意了。

天使让主人和狗准备好，就宣布赛跑开始。她以为主人为了进天堂，会拼命往前跑，谁知道主人一点儿也不忙，慢慢地往前走着。更令天使吃惊的是，那条导盲犬也没有跑，它在旁边慢慢跟着，一步都不离开主人。天使突然明白了：多年来这条导盲犬已经养成了习惯，永远跟着主人，在主人的前方保护他。自私的主人，正是利用了这一点，他只要在天堂门口叫狗停下就可以自己进天堂了。

天使看着这条狗，心里很难过，她大声对狗说："你已经为主人献出了生命，现在，你这个主人不再是盲人，你也不用领着他走路了，你快跑进天堂吧！"

可是，无论是主人还是他的狗，都像是没有听到天使的话一样，仍然慢慢地往前走，好像散步似的。

果然，离终点还有几步的时候，主人发出一声命令，狗听话地坐下了，天使鄙视地看着主人。

这时，主人笑了，他对天使说："我终于把我的狗送到天堂了，我最担心的就是它根本不想上天堂，只想跟我在一起……所以我才想帮它决定，请你照顾好它。"

天使愣住了。

主人又说:"能用比赛的方式决定真是太好了,只要我再让它往前走几步,它就可以上天堂了。不过它陪伴了我那么多年,这是我第一次可以用自己的眼睛看着它,所以我忍不住想要慢慢地走,多看它一会儿。如果可以的话,我真希望永远看着它走下去。不过天堂到了,那才是它该去的地方,请你照顾好它。"

说完,主人向狗发出了前进的命令,就在狗到达终点的一刹那,主人像一片羽毛似的落向了地狱的方向。他的狗见了,急忙转过身,追着主人狂奔。天使张开翅膀追过去,想要抓住导盲犬,不过那是世界上最善良的灵魂,速度远比所有的天使都快。

导盲犬又跟主人在一起了,即使在地狱,导盲犬也永远守护着它的主人。

练 习

30-2 一、请仔细听录音,找出每组句子有什么共同的地方

第一组:① 毕业以后去哪儿,我还没有决定。

② 通过讨论,我们决定参加比赛。

③ 孩子大了,想干什么应该让他自己决定。

(课文例句:能不能让我来决定谁去天堂呢?)

第二组:① 谁先写完,谁就可以走了。

② 咱们比赛吧,谁先跑到终点,谁是冠军。

③ 谁还不懂,谁就留下来,我再给他讲讲。

(课文例句:谁先到达,谁就可以上天堂。)

第三组:① 我来中国以后,养成了早睡早起的习惯。

② 孩子养成了玩儿电脑游戏的习惯,父母很担心。

③ 准备考大学的时候,他养成了开夜车的习惯。

(课文例句:多年来这条导盲犬已经养成了习惯,永远跟着主人,在主人的前方保护他。)

第四组:① 树叶像羽毛似的落到地上。

② 他像从来没见过我似的张大了嘴。

③ 小狗像孩子似的抱住了主人。

(课文例句:主人像一片羽毛似的落向了地狱的方向。)

第五组:① 他的学习成绩远比我好得多。

② 新闻的说话速度远比电视剧的速度快。

③ 他知道的远比我知道得多。

(课文例句:天使张开翅膀追过去,想要抓住导盲犬,不过那是世界上最善良的灵魂,速度远比所有的天使都快。)

30-3 **二、听全文，在括号中正确的选项后画√**

1. 在故事里，除了导盲犬以外，还有盲人和（天使 √　　上帝　　）。

2.（天堂 √　　地狱　　）里只有一个位置了，他们不能都去。

3. 在天堂门口，盲人和导盲犬一直（慢慢地走 √　　狂奔　　）。

4. 最后，盲人和导盲犬都去了（天堂　　地狱 √）。

30-3
30-4 **三、根据课文内容，选择正确答案**

1. 天使为什么鄙视导盲犬的主人？（　A　）

　　A. 以为他想自己上天堂　　　　　　B. 以为他想去地狱

　　C. 以为他会拒绝参加比赛　　　　　D. 以为他会伤害导盲犬

2. 什么决定谁上天堂，谁去地狱？（　D　）

　　A. 主人　　　　　　　　　　　　　B. 导盲犬

　　C. 天使　　　　　　　　　　　　　D. 比赛

3. 在去天堂的比赛中，什么跑得快？（　D　）

　　A. 盲人　　　　　　　　　　　　　B. 强健的身体

　　C. 导盲犬　　　　　　　　　　　　D. 善良的灵魂

4. 死了以后，盲人有什么变化？（　B　）

　　A. 身体很轻　　　　　　　　　　　B. 能看见了

　　C. 变善良了　　　　　　　　　　　D. 走路很慢

5. 主人为什么要慢慢地走？（　C　）

　　A. 想自己进天堂　　　　　　　　　B. 为了让狗进天堂

　　C. 想好好看看自己的狗　　　　　　D. 因为他跑不快

6. 主人担心什么？（　A　）

　　A. 狗不愿意去天堂　　　　　　　　B. 自己去不了天堂

　　C. 自己得去地狱　　　　　　　　　D. 自己跟狗要分开

7. 导盲犬为什么追着主人狂奔？（　B　）

　　A. 它分不清天堂和地狱　　　　　　B. 它要守护主人

　　C. 它想去地狱　　　　　　　　　　D. 主人命令它快跑

四、先填空，然后判断这些话是谁对谁说的（把A、B、C填在句子前边的方框里）

A. 主人　　　B. 天使　　　C. 狗

生命　比赛　帮　剩下　平等　谁　担心　希望　地狱　照顾　方式　决定

B　→　A、C　"对不起，现在天堂只（剩下）一个位置，你们两个中必须有一个去（地狱）。"

A　→　B　"我的狗又不知道什么是天堂，什么是地狱，能不能让我来（决定）谁去天堂呢？"

B　→　A　"每个灵魂都是（平等）的，你们要通过（比赛）决定谁能上天堂。"

B　→　A　"从这里跑到天堂的大门，（谁）先到达，（谁）就可以上天堂。"

B　→　C　"你已经为主人献出了（生命），现在，你快跑进天堂吧！"

A　→　B　"我终于把我的狗送到天堂了，我最（担心）的就是它根本不想上天堂，只想跟我在一起……所以我才想（帮）它决定，请你（照顾）好它。"

A　→　B　"能用比赛的（方式）决定真是太好了，只要我（再）让它往前走几步，它就可以上天堂了。"

A　→　B　"如果可以的话，我真（希望）永远看着它走下去。"

30-3　五、根据课文内容，判断正误

1. 天使以为主人很自私，想自己去天堂。（　√　）
2. 其实主人希望自己和狗一直在一起。（　×　）
3. 天使说谁跑得快，谁就能进天堂。（　√　）
4. 他们都没听天使的话。（　√　）
5. 主人跑不过导盲犬，所以他们没赛跑。（　×　）
6. 主人和导盲犬都有着善良的灵魂。（　√　）
7. 天使误会了主人的意思。（　√　）
8. 主人自己决定去地狱。（　√　）

六、下面表中的几个情况都是天使听见和看见的，不过她误解了狗主人的意思，请把A—E填入下表

A. 主人决定自己去天堂

B. 主人决定自己去地狱

C. 主人打算在天堂门口让狗停下来，自己进天堂

D. 主人打算多看看自己的狗

E. 主人请天使帮忙照顾自己的狗

天使听到和看到的	天使的误解	主人的想法
"能不能让我来决定谁去天堂呢？"	A	B
主人一点儿也不忙，慢慢地往前走着。	C	D
离终点还有几步的时候，主人发出一声命令，狗听话地坐下了。	C	E

30-5 七、边听录音边填空

这个故事说的是（盲人）和他的（导盲犬）死了以后，来到（天堂）门口。（天使）说，（天堂）里只有一个位置了，他们中的一个必须下（地狱）。（天使）让他们通过（赛跑）决定谁上（天堂），谁下（地狱）。

结果，主人和导盲犬都慢慢地（走），天使（以为）主人很自私，会自己去（天堂）。（谁知道），主人命令狗跑进（天堂），而自己飞向（地狱）。

30-6 八、选词填空

> 决定　　谁……谁……　　养成……习惯　　像……似的　　A远比B……

1. 他（像）睡着了（似的）一动也不动。

2. 留学三年，他（养成）了喝咖啡的（习惯）。

3.（谁）来晚了，（谁）就得多喝一杯。

4. 问题（远比）你想象的复杂。

5.（养成）一个（习惯）需要二十一天。

6. 他们（像）散步（似的）走得很慢。

7. 我们通过讨论（决定）提前考试。

8. 春节（远比）中秋节重要得多。

9.（谁）过生日（谁）请客。

10. 虽然已经（决定）去旅行，可去哪儿还没（决定）。

要求
① 请先独立填写答案
② 填好后同学之间可以讨论
③ 最后听录音